Reingeniería

MICHAEL HAMMER &
JAMES CHAMPY

Reingeniería

Olvide lo que usted sabe sobre cómo debe funcionar una empresa. ¡Casi todo está errado!

Traducción
Jorge Cárdenas Nannetti

Barcelona, Bogotá, Buenos Aires, Caracas, Guatemala, México, Miami, Panamá, Quito, San José, San Juan, San Salvador, Santiago de Chile, Sao Paulo.

Edición original en inglés:
Reengineering the Corporation: A Manifesto for Business Revolution
de Michael Hammer y James Champy.
Una publicación de HarperCollins Publishers, Inc.
10 East 53rd Street, New York, NY 10022

Apartado Aéreo 53550, Bogotá, Colombia.

Primera reimpresión, 1994
Segunda reimpresión, 1994
Impreso por Carvajal S. A. — Imprelibros
Impreso en Colombia — Printed in Colombia
Abril de 1994

Dirección editorial, María del Mar Ravassa G.
Edición, Armando Bernal M. y Lucrecia Monárez T.
Diseño de cubierta, Carmen Elisa Acosta

ISBN 958-04-2650-3

A mis padres, quienes me mostraron el camino que sigo; a mi esposa, con quien lo recorro; y a mis hijos, cuyos caminos les esperan.

M. H.

A mi esposa Lois, de quien he aprendido mucho; y a mi hijo Adam, para quien tengo el deleite de enseñar.

J. C.

RECONOCIMIENTOS

La tesis central de este libro — que las corporaciones de hoy necesitan nada menos que volver a inventar la manera de hacer las cosas — puede parecerles a algunos excesiva. Pero a los que no gusten de correr riesgos nos apresuramos a advertirles que nuestras recomendaciones y conclusiones están basadas en el éxito alcanzado por un puñado de empresas extraordinarias. Mucho les debemos a ellas y a la visión de sus ejecutivos y gerentes. Entre las muchas personas que obligan nuestro reconocimiento, unas pocas se destacan: David Barry, de Ford; Bob Stark, de Hallmark Cards; Norm Phelps y Pam Godwin, de Capital Holdings; Woody Noxon y Al Van De Moere, de Eastman Kodak; Chuck McCaig, que ahora está con Chubb Insurance; John Martin, de Taco Bell; Stephen Israel y Wayne Hoover, de IBM Credit; el finado Regis Filtz, de Bell Atlantic; Ron Compton, de Aetna Life & Casualty; y Bruce Marlow, de Progressive Insurance. Ellos y sus organizaciones sirvieron de modelo original para la reingeniería.

También tenemos una deuda de gratitud para con los muchos colegas y maestros de quienes tanto hemos aprendido con el correr de los años. Nombrarlos a todos sería imposible, pero dos merecen especial mención: Peter Drucker y Tony Athos, cuyas ideas sobre organización orientan todo nuestro trabajo. Igualmente debemos dar las gracias a los muchos individuos de CSC Index que compartieron con nosotros sus experiencias de consultoría, recogieron material de casos y ayudaron a llevar este libro a feliz término. Su aporte se encontrará en todas sus páginas.

En particular, debemos manifestar nuestro agradecimiento al aporte inestimable de las personas que contribuyeron a convertirlo en realidad: Donna Sammons Carpenter, Tom Richman y Abby Solomon, cuya extraordinaria destreza editorial logró convertir una masa informe de datos en una relación coherente; Helen Rees, nuestra agente literaria, quien nos enseñó "el negocio" de publicar un libro; y Virginia Smith, nuestra jefe de edición en HarperBusiness, quien apoyó nuestro trabajo paso por paso.

Finalmente, reservamos nuestro mayor aprecio para todas aquellas personas que actualmente trabajan por convertir en realidad la reingeniería en sus propias organizaciones y hacer avanzar nuestra comprensión de esta nueva era de los negocios.

CONTENIDO

INTRODUCCIÓN

Un conjunto de principios sentados hace más de dos siglos ha dado forma a la estructura, la administración y el desempeño de los negocios durante los siglos XIX y XX. En este libro sostenemos que llegó la hora de descartarlos totalmente y adoptar nuevos principios. La alternativa es que las corporaciones cierren sus puertas y se retiren de los negocios.

La elección es así de sencilla y de dura.

Nuestros empresarios, ejecutivos y gerentes crearon y dirigieron compañías que durante más de cien años correspondieron a la demanda siempre creciente de productos y servicios para un mercado masivo. Esos administradores y sus empresas fijaron las normas de desempeño para el resto del mundo de los negocios. Lamentablemente, ya no es ése el caso.

En el libro que el lector tiene en sus manos se describe un nuevo modelo de los negocios y un conjunto correspondiente de técnicas que los ejecutivos y los gerentes tendrán que emplear para reinventar sus compañías, a fin de competir en un mundo nuevo.

Para ello necesitan abandonar las viejas ideas acerca de cómo se debía organizar y dirigir un negocio. Tienen que abandonar los principios y los procedimientos organizacionales y operativos que usan en la actualidad y crear otros enteramente nuevos.

La nuevas organizaciones no se van a parecer mucho a las corporaciones de hoy, y las formas en que compran, hacen, venden y entregan productos y servicios serán muy distintas. Serán compañías diseñadas específicamente para funcionar en el mundo de hoy y de mañana, no instituciones procedentes de una época anterior, gloriosa pero que ya no tiene vigencia.

Durante doscientos años se fundaron y se construyeron empresas sobre la base del brillante descubrimiento de Adam

Smith, de que el trabajo industrial debía dividirse en sus *tareas* más simples y básicas. En la era postindustrial de los negocios en que estamos entrando, las corporaciones se fundarán y se construirán sobre la base de reunificar esas tareas en *procesos* coherentes.

En este libro demostramos que las corporaciones existentes *se pueden* reinventar a sí mismas. Las técnicas que pueden emplear para ello las denominamos *reingeniería de negocios,* y ella es para la próxima revolución económica lo que fue la especialización del trabajo para la última. Las corporaciones actuales, aun las más prósperas y prometedoras del mundo, tienen que adoptar y aplicar los principios de la reingeniería de negocios, o de lo contrario se verán eclipsadas por el gran éxito de las que sí los aplican.

La reingeniería no es otra idea importada del Japón. No es un remedio rápido que los administradores puedan aplicar a sus organizaciones. No es un nuevo truco que prometa aumentar la calidad de un producto o servicio de la compañía o reducir determinado porcentaje de los costos. La reingeniería de los negocios no es un programa encaminado a levantar la moral de los empleados ni a motivar a los vendedores. No forzará a un viejo sistema computadorizado a trabajar más rápidamente. No se trata de *arreglar* nada.

La reingeniería de negocios significa volver a empezar, arrancando de cero.

La reingeniería de negocios significa dejar de lado gran parte de lo que se ha tenido por sabido durante doscientos años de administración industrial. Significa olvidarse de cómo se realizaba el trabajo en la época del mercado masivo y decidir cómo se puede hacer mejor ahora. En la reingeniería de negocios los viejos títulos y formas organizacionales — departamentos, divisiones, grupos, etcétera — dejan de tener importancia. Son los artefactos de otra edad. Lo que importa en la reingeniería es cómo queremos organizar hoy el trabajo, dadas las exigencias de los mercados actuales y el potencial de las tecnologías actuales. Cómo hacían antes las cosas los hombres y las compañías no tiene importancia para el rediseñador de negocios.

La reingeniería aprovecha los mismos atributos tradicionales que han caracterizado a los grandes innovadores en los negocios:

individualismo, confianza en sí mismos, voluntad de correr riesgos y propensión al cambio. A diferencia de las filosofías que hacen que "nosotros" nos volvamos más similares a "ellos", la reingeniería de negocios no pretende modificar el comportamiento de los trabajadores o de los gerentes. Por el contrario, aprovecha sus disposiciones naturales y da rienda suelta a su ingeniosidad.

En la esencia de la reingeniería de negocios está la idea del *pensamiento discontinuo:* la identificación y el abandono de reglas anticuadas y de supuestos fundamentales que sustentan las operaciones comerciales corrientes. Toda compañía está llena de reglas implícitas heredadas de decenios anteriores: "Los clientes no reparan sus propios equipos". "Para prestar un buen servicio se necesitan bodegas locales". "Las decisiones sobre comercialización se toman en la oficina central". Tales reglas se basan en supuestos relativos a tecnologías, a personal y a metas organizacionales que ya no están en vigor. Si las compañías no cambian estas normas, cualesquiera reorganizaciones superficiales que hagan no serán más eficaces que desempolvar los muebles en Pompeya.

¿Cómo surgió el concepto de reingeniería de negocios y cómo desarrollamos una metodología para su ejecución? Hace unos diez años, empezamos a observar que unas pocas compañías habían mejorado espectacularmente su rendimiento en una o más áreas de su negocio cambiando radicalmente las formas en que trabajaban. No habían cambiado el negocio a que se dedicaban sino que habían alterado en forma significativa los procesos que seguían en dichos negocios, o incluso habían cambiado totalmente los viejos procedimientos.

Al mismo tiempo, trabajábamos activamente para ayudar a algunos de nuestros clientes a desarrollar nuevas técnicas que les permitieran sobrevivir — y hasta prosperar — en un clima competitivo cada vez más duro. Para lograr esto, las empresas tenían que estar dispuestas a mirar a través y más allá de departamentos funcionales y fijarse en los procesos — cosa nada fácil para corporaciones que durante muchos años se habían apegado a métodos tradicionales de organización. (Por "proceso" queremos decir sencillamente una serie de actividades que, tomadas conjuntamente, producen un resultado valioso para el cliente; por ejemplo, desarrollar un producto nuevo.) Casi siempre este cambio del proceso iba acompañado por un cambio igualmente radical en la forma y en el carácter de aquellos sectores de la organización que tomaban parte en su ejecución. Comprendimos que estas compañías obtenían resultados espectaculares en parte porque no se contentaban con nada menos.

Resolvimos profundizar un poco. Queríamos entender por qué estas empresas se habían decidido por el cambio radical en vez del remedio menos doloroso de mejoras continuas, incrementales, que suelen preferir las empresas. Queríamos averiguar si tenían algo en común las técnicas empleadas por las compañías para efectuar sus cambios. ¿Qué surtía efecto y por qué? ¿Qué no servía y por qué no? ¿Sería posible llevar esas técnicas a otras organizaciones en otras líneas de negocios? ¿Se podían aplicar a una compañía globalmente o sólo a algunas pequeñas partes de ella?

Descubrimos que la mayoría de las compañías que estudiamos y que habían efectuado con éxito cambios radicales en uno o más de sus procesos se habían valido, aunque sin saberlo, de una serie común de herramientas y tácticas. Por el contrario, cuando una compañía trataba de obtener una mejora operativa espectacular y no lo lograba, esto se debía por lo general a una o más de las mismas razones.

Descubrimos, igualmente, que las compañías más impresionantes que estudiamos — las que buscaban más que una mejora pequeña y lo lograban — se planteaban un interrogante distinto del de otras organizaciones. No se preguntaban: "¿Cómo podemos hacer más rápidamente lo que hacemos?" o "¿Cómo podemos hacer mejor lo que hacemos?" o "¿Cómo podemos hacer a menor costo lo que hacemos?" Lo que se preguntaban era: "¿Por qué estamos haciendo esto?"

Sí: ¿Por qué?

Ésa fue la pregunta que resolvimos hacerles a diversas compañías, y las respuestas que obtuvimos fueron sorprendentes y reveladoras. Descubrimos que muchas tareas que realizaban los empleados no tenían nada que ver con satisfacer las necesidades de los clientes — es decir, crear un producto de alta calidad, suministrarlo a un precio equitativo y prestar un servicio excelente. Muchas tareas se ejecutaban simplemente para satisfacer exigencias internas de la propia organización de la empresa.

Poco a poco, examinando las experiencias de muchas compañías, pudimos discernir los patrones de acciones que condujeron al éxito, lo mismo que los patrones que no lo lograron, y gradualmente vimos surgir una serie de procedimientos que efectuaban el cambio radical. Con el tiempo, le dimos a esta serie de procedimientos un nombre. La denominamos *reingeniería de negocios.* Luego preparamos un método que pueden aplicar los administradores y los líderes de otras compañías en sus propias organizaciones. Actualmente hay docenas de empresas que están rediseñando activamente todas sus operaciones o partes de ellas.

Estamos convencidos de que la reingeniería no se puede llevar a efecto con pasos pequeños y cautelosos. Es una cuestión de todo o nada que produce resultados francamente impresionantes. A las empresas no les queda otro remedio que armarse de valor y hacerlo. Para muchas, la reingeniería es la única esperanza de librarse de los métodos ineficaces y anticuados de manejar los negocios que las llevarán inevitablemente al desastre.

En este libro presentamos un poderoso argumento en favor de la reingeniería como la mejor esperanza para restablecer el vigor competitivo de los negocios contemporáneos. Exploramos las razones que la justifican, describimos sus técnicas y alertamos a los lectores con respecto a los problemas que encontrarán en un mundo en que las únicas compañías de éxito serán las que cambien radicalmente — o rediseñen — sus procesos de negocios.

Planteamos, igualmente, reglas para iniciar, dirigir y llevar a buen término el proceso de reingeniería en compañías cuyos administradores tengan la visión necesaria para darse cuenta de la necesidad de cambio y el valor necesario para acometerlo.

Los que nos sigan desde el principio hasta el fin aprenderán lo que nosotros aprendimos acerca de las razones por las cuales tantas empresas han llegado a un punto en que se hace necesaria una acción radical. Entenderán cómo opera la reingeniería de negocios. Aprenderán, por la experiencia de las compañías que hemos estudiado y ayudado, cómo tener éxito al rediseñar un negocio.

Éste es, pues, un libro sobre un futuro que ya está aquí, y para personas que esperan ser parte de él. Tiene por base la experiencia de compañías que ya han aprendido que la reingeniería de negocios es la única manera de alcanzar lo que necesitan. Pero si bien el libro contiene muchos ejemplos, no es un libro de anécdotas o historias, sino de ideas. Estas ideas, creemos nosotros, son tan importantes para los negocios *hoy* como lo fueron las de Adam Smith para los empresarios y los administradores de los dos últimos siglos. Creemos que la aplicación de los principios de la reingeniería de negocios ejercerá efectos tan significativos e impresionantes como los ejercieron los principios de organización industrial de Smith.

Pero, por importante que consideremos este libro, sabemos que no será el único que se escriba sobre reingeniería de negocios. Después de la aparición de *La riqueza de las naciones*, en 1776, incontables manuales de administración han ampliado y refinado los conceptos de Smith. Esperamos que *Reingeniería* sea también un libro fructífero — y, desde luego, no la última palabra.

A las compañías les queda algún tiempo (aunque no mucho) para aplicar las lecciones de este libro a sus propias organizaciones. Los problemas que las asedian son apremiantes. Las compañías que actúen rápidamente sobre estas lecciones podrán competir con éxito en un mundo en que la única constante previsible ha venido a ser el cambio rápido e inexorable.

CAPÍTULO 1

LA CRISIS QUE NO VA A DESAPARECER

Pocas serán las compañías cuya administración no afirme — por lo menos para consumo externo — que quiere una organización bastante flexible a fin de que se pueda ajustar rápidamente a las cambiantes condiciones del mercado, ágil para poder superar el precio de cualquier competidor, tan innovadora que sea capaz de mantener sus productos y servicios tecnológicamente frescos, y tan dedicada a su misión que rinda el máximo de calidad y servicio al cliente.

Entonces, si los administradores quieren compañías expeditas, ágiles, flexibles, diligentes, competitivas, innovadoras, eficientes, enfocadas al cliente y rentables, ¿por qué tantas son pesadas, torpes, rígidas, perezosas, lentas, no competitivas, no creativas, ineficientes, desdeñosas con respecto a las necesidades del cliente y además pierden dinero? La explicación está en cómo hacen su trabajo estas compañías y por qué lo hacen así. Unos pocos ejemplos ilustrarán el punto de que los resultados que alcanzan las empresas son a menudo muy distintos de los que buscaban sus administradores.

• Una fábrica que visitamos, al igual que muchas otras empresas, fijó la meta de despachar rápidamente los pedidos de sus clientes, pero esta meta le está resultando difícil de lograr. Lo mismo que casi todas las empresas en esa industria, esta compañía tiene un sistema de distribución de múltiples etapas; es decir, las fábricas mandan los bienes terminados a una bodega central, que es el Centro de Distribución Central (CDC). Éste, a su vez, despacha los productos a Centros Regionales de Distribución (CRD), bodegas más pequeñas que reciben y despachan los pedidos de los clientes. Un CRD sirve el área geográfica donde está situado el CDC. En realidad, los dos ocupan el mismo edificio. Es inevitable que muchas veces los CRD no tengan la mercancía que necesitan para atender los pedidos. Sin embargo, este CRD particular *debiera* tener la posibilidad de obtener rápidamente lo que le haga falta puesto que el CDC está en el mismo edificio. Pero no ocurre así. La razón es que aun para un pedido urgente, el proceso tarda *once días:* un día para que el CRD notifique al CDC que necesita determinado artículo; cinco días para que el CDC verifique, escoja y despache el pedido; y cinco días para que el CRD reciba oficialmente la mercancía, la coloque en sus anaqueles y luego proceda a tomarla de ahí y empacarla para mandársela al cliente. Una razón para que tarde tanto tiempo es que, si bien a los CRD se les juzga por el tiempo que gastan en responder a los pedidos de los clientes, el CDC no está sujeto a igual criterio. Su rendimiento se juzga por otros factores: costos de inventario, rotación de existencias, y costos de mano de obra. Apresurarse a despachar un pedido de un CRD es perjudicial para la evaluación del CDC. Por consiguiente, el CRD ni siquiera trata de obtener pedidos urgentes del CDC que está en el mismo edificio. Lo que hace es pedirle a otro CRD que se los envíe por avión de la noche a la mañana. ¿Y el costo? Los fletes aéreos montan a millones de dólares al año. Cada CRD tiene una unidad que no hace otra cosa que trabajar con otros CRD en busca de mercancía; y la misma mercancía se mueve y se maneja muchas veces más de lo que aconsejaría el sentido común. Tanto los CRD como el CDC están cumpliendo con su deber, pero el sistema no funciona.

• Con frecuencia, la eficiencia de una dependencia de la compañía se logra a expensas de la eficiencia total. Un avión perteneciente a una de las principales aerolíneas se quedó en tierra una tarde en el Aeropuerto A porque necesitaba una reparación, pero el mecánico calificado más cercano estaba en el Aeropuerto B. El gerente de este aeropuerto se negó a mandarlo al Aeropuerto A esa misma tarde porque, una vez que hiciera la reparación, el mecánico tendría que pernoctar en un hotel, y la cuenta sería con cargo al presupuesto de B. Así, pues, envió al mecánico al Aeropuerto A a la mañana siguiente para que alcanzara a reparar el avión y regresara el mismo día. Una aeronave que vale muchos millones de dólares estuvo inmovilizada, y la aerolínea perdió centenares de miles de dólares de ingresos, pero el presupuesto del Gerente B no fue gravado con los 100 dólares que costaría la cuenta del hotel. El Gerente B no era tonto ni descuidado. Estaba haciendo exactamente lo que tenía que hacer para controlar y minimizar sus gastos.

- A veces, un trabajo que requiere cooperación y coordinación entre diversos departamentos de una compañía ofrece dificultades. En las devoluciones a cierto fabricante de artículos de consumo que conocemos, intervienen trece departamentos distintos cuando los minoristas envían la mercancía devuelta para que se les abone su valor. La recepción acepta los artículos, la bodega los vuelve a colocar en existencias, la gerencia de inventario pone al día su contabilidad para registrar el reingreso, el departamento de promoción determina a qué precio real se vendieron, la contabilidad de ventas reajusta las comisiones, la contabilidad general actualiza los datos financieros, y así sucesivamente. Sin embargo, no hay un departamento especial o un individuo que esté encargado de manejar las devoluciones.

Para los departamentos que tienen que intervenir, las devoluciones son una distracción de baja prioridad, de modo que no puede sorprender que con frecuencia se cometan errores. La mercancía devuelta acaba por "perderse" en la bodega, la compañía paga comisiones sobre artículos *que no se han vendido* y, peor aún, a los minoristas no se les abona lo que esperaban y esto los enfurece, con lo cual se pierde todo el esfuerzo de ventas y marketing. Los minoristas descontentos no es probable que promuevan nuevos productos del fabricante. Además, a menudo demoran el pago o pagan únicamente lo que ellos mismos *creen* que deben, después de deducir el valor de las devoluciones. Esto produce un gran desorden en el departamento de cuentas por cobrar del fabricante, pues el cheque del cliente no concuerda con la factura que se le mandó. Al fin el fabricante sencillamente se da por vencido, no pudiendo descubrir qué fue lo que realmente ocurrió. Su propio cálculo del costo anual y pérdida de ingresos por devoluciones y problemas conexos llega a *centenares de millones*. De tiempo en tiempo, la compañía ha tratado de poner algún orden en el dislocado proceso de devoluciones, pero no bien ha logrado que unos departamentos trabajen bien cuando se presentan nuevos problemas en otros.

- Aun en casos en que el trabajo de que se trate puede afectar grandemente al resultado final, muchas veces las compañías no tienen a una persona encargada de él. Por ejemplo, para cumplir uno de los requisitos que el gobierno exige para aprobar una nueva droga, una empresa farmacéutica necesitaba resultados de un estudio sobre la dosificación de treinta pacientes distintos en sólo una semana, pero tardó *dos años* en conseguirlos. Un científico de la compañía gastó cuatro meses en proyectar el estudio y especificar qué datos debían recogerse. En realidad, en diseñar el estudio sólo tardó dos semanas, pero se fueron otras catorce semanas en revisiones del proyecto por otros científicos. Posteriormente, un médico empleó dos meses programando y realizando entrevistas, a fin de enganchar a otros médicos que serían los encargados de escoger pacientes apropiados y administrarles la droga de prueba. Para obtener permiso de los hospitales se necesitó otro mes, la mayor parte del cual se perdió esperando respuestas. A los médicos que administraban la dosis de una semana se les pagó por anticipado, de modo que no tenían aliciente para acelerar su trabajo. Recoger los formularios que llenaron los médicos fue obra de otros dos meses. Después, el administrador del estudio envió los formularios a entrada de datos, donde se descubrieron errores como en un 90 por ciento de ellos. Hubo que devolvérselos al diseñador de protocolo, quien se los remitió al administrador del estudio, quien se los devolvió a los médicos, quienes trataron de corregir los errores. Como consecuencia de su propio proceso de estudio en el terreno (no del proceso de aprobación del gobierno), la compañía perdió las utilidades que esta droga le habría producido durante cerca de dos años, que valían millones de dólares, como había perdido las de otros productos por la misma razón. Sin embargo, hasta el día de hoy, ninguna persona en la compañía tiene la responsabilidad total de ver que los estudios de terreno se realicen como es debido.

Estas historias se tomaron, más o menos al acaso, de nuestra experiencia, y se podrían aumentar indefinidamente. Estas compañías no son la excepción: son la regla. Ésta no es la manera como los ejecutivos de las corporaciones dicen que quieren que se comporten sus compañías, y, sin embargo, persiste ese patrón de comportamiento. ¿Por qué?

Las corporaciones no funcionan mal porque los trabajadores sean perezosos o los administradores ineptos. La historia de realizaciones industriales y tecnológicas del último siglo es prueba suficiente de que los administradores no son ineptos y de que los empleados sí trabajan. La ironía está en que hoy las compañías están funcionando tan mal justamente porque antes funcionaban tan bien.

Durante más de cien años, brillantes empresarios estadounidenses lideraron al mundo creando organizaciones comerciales que fijaron las pautas para desarrollo de productos, producción y distribución. Por eso sirvieron de modelo organizacional para los negocios de todo el mundo. Corporaciones estadounidenses ofrecieron a precios accesibles bienes hechos en fábrica, construyeron y administraron ferrocarriles que cruzaron todo el continente, crearon avances tecnológicos, como el teléfono y el automóvil, que cambiaron nuestra forma de vivir, y produjeron el más alto nivel de vida que había conocido la humanidad. Que esas mismas compañías y sus descendientes ya no desempeñen bien su función no se debe a ninguna falla intrínseca; se debe a que el mundo en que operan ha cambiado y rebasa los límites de su capacidad de adaptarse o evolucionar. Los principios sobre los cuales están organizadas se adaptaban magníficamente a las condiciones de una era anterior, pero ya no dan más.

Tecnologías avanzadas, la desaparición de fronteras entre mercados nacionales y las nuevas expectativas de clientes que tienen más para escoger que nunca antes, se han combinado para dejar lamentablemente obsoletos los objetivos, los métodos y los principios organizacionales de la clásica corporación estadounidense. Renovar su capacidad competitiva no es cuestión de hacer que la gente trabaje más duro, sino de aprender a trabajar de otra manera. Esto significa que las compañías y sus empleados tienen que desaprender muchos de los principios y técnicas que les aseguraron el éxito durante tanto tiempo.

Hoy la mayor parte de las compañías — cualquiera que sea el negocio a que se dediquen, cualquiera que sea el grado de avance tecnológico de su producto o servicio, o sea cual sea su origen nacional — derivan su estilo de trabajo y sus raíces organizacionales del prototipo de la fábrica de alfileres que describió Adam Smith en *La riqueza de las naciones*, publicado en 1776. Filósofo y economista, Smith se dio cuenta de que la tecnología de la revolución industrial había creado oportunidades sin precedentes para que los fabricantes aumentaran la productividad y así redujeran el costo de los bienes, no en pequeños porcentajes, lo cual se podría lograr persuadiendo a un artesano de que trabajara un poquito más rápidamente, sino por órdenes de magnitud. En *La riqueza de las naciones*, este precursor del consultor de negocios, pensador radical en su tiempo, explicó lo que él denominó el principio de la división del trabajo.

En ese principio incorporó sus observaciones de que cierto número de trabajadores especializados, realizando cada uno solo un paso de la fabricación de un alfiler, podía hacer muchísimos más alfileres en un día que el mismo número de generalistas dedicados a hacer todo el alfiler. Dijo Smith: "Un hombre estira el alambre, otro lo endereza, el tercero lo corta, el cuarto le saca punta, el quinto lo pule por encima para recibir la cabeza; para hacer la cabeza se requieren dos o tres operaciones distintas; ponérsela es un trabajo especial, blanquear los alfileres es otro; hasta meterlos en el papel es una industria en sí misma". Informó Smith que él había visitado una fábrica pequeña que sólo empleaba a diez obreros, cada uno de los cuales no realizaba más que una o dos de las dieciocho operaciones necesarias para hacer un alfiler. "Estas diez personas podían hacer entre todas hasta cuarenta y ocho mil alfileres en un día; pero si todas hubieran trabajado en forma separada e independiente, y sin que ninguna hubiera sido educada en este peculiar negocio, ciertamente cada una no habría podido hacer ni veinte, y acaso ni un solo alfiler en un día".

La división del trabajo aumentó la productividad de los operarios que hacían alfileres por un factor de centenares. La ventaja, escribió Smith, "se debe a tres circunstancias distintas: en primer lugar, al aumento de destreza de todos los obreros; en segundo lugar, al ahorro de tiempo que suele perderse pasando de una clase de trabajo a otra; y, por último, al invento de un gran número de máquinas que facilitan y acortan el trabajo y le permiten a un hombre hacer el trabajo de muchos".

Las aerolíneas de hoy, las siderúrgicas, las firmas de contadores y las fábricas de fichas de computador se han estructurado todas en torno a la idea central de Smith: la división o especialización del trabajo y la consiguiente fragmentación de la obra. Cuanto más grande sea la organización, más especializado será el trabajador y mayor será el número de pasos en que se fragmenta la obra. Esta regla se aplica no sólo a los oficios de la industria manufacturera. Las compañías de seguros, por ejemplo, también destinan a distintos oficinistas a diligenciar cada renglón de un formulario estandarizado; luego le pasan el formulario a otro oficinista que debe diligenciar el renglón siguiente. Estos trabajadores nunca hacen una obra completa; sólo realizan tareas fragmentarias.

Con el tiempo, las empresas estadounidenses llegaron a ser las primeras del mundo para convertir los principios de Smith en prácticas organizaciones de negocios, pese a que en la época en que Smith publicó sus ideas, o sea en 1776, no existía un verdadero mercado para bienes hechos en los Estados Unidos. Los estadounidenses, que sólo llegaban entonces a 3.9 millones, estaban separados entre sí por malos caminos y malas comunicaciones. Filadelfia, con 45 000 habitantes, era la ciudad más populosa del país.

Sin embargo, en el curso del medio siglo siguiente hubo una explosión demográfica, y el mercado nacional se expandió. Por ejemplo, la población de Filadelfia se cuadruplicó, y Nueva York se colocó a la cabeza como la ciudad más grande, con 313 000 habitantes. Por todas partes aparecieron instalaciones fabriles.

Parte de este crecimiento se debió a grandes innovaciones en la manera de transportar productos. En los años 20 del siglo pasado, empezaron a construir ferrocarriles, que no sólo extendieron y aceleraron el desarrollo económico sino que además impulsaron la evolución de la tecnología de administración de negocios. Fueron las compañías ferroviarias las que inventaron la burocracia moderna — innovación significativa entonces y esencial para que las organizaciones industriales pudieran crecer más allá del tramo de control de un solo individuo.

Para evitar choques en líneas de una sola vía férrea por las que corrían trenes en ambos sentidos, las empresas idearon procedimientos formales de operación, junto con las estructuras organizacionales y los mecanismos necesarios para ejecutarlos. La administración creó una regla para toda contingencia imaginable, y las líneas de autoridad y dependencia quedaron claramente establecidas. Las compañías ferroviarias prácticamente programaron a los trabajadores para que actuaran únicamente de acuerdo con las reglas, pues ésa era la única manera que conocían de hacer que sus sistemas de una sola vía férrea fueran previsibles, operantes y seguros. Programar a las personas para que se ciñan a procedimientos establecidos sigue siendo la esencia de la burocracia hasta el día de hoy. Los sistemas de órdenes y control que existen actualmente en la mayor parte de las empresas incorporan los mismos principios que introdujeron los ferrocarriles hace ciento cincuenta años.

Los siguientes grandes pasos revolucionarios en el desarrollo de las organizaciones industriales modernas se dieron a principios del siglo XX y se debieron a dos pioneros del automóvil: Henry Ford y Alfred Sloan.

Ford refinó el concepto de Smith de dividir el trabajo en pequeñas tareas repetitivas. En lugar de tener hábiles ensambladores que hicieran todo un automóvil completo con piezas que iban armando, redujo el oficio de cada trabajador a instalar una sola pieza, en una forma prescrita. Al principio, los trabajadores pasaban de un puesto de montaje a otro; se desplazaban al sitio en que estaba el trabajo. La línea móvil de montaje, innovación por la que más se recuerda a Ford, simplemente llevó el trabajo al trabajador.

Al dividir el montaje de un automóvil en una serie de tareas nada complicadas, Ford hizo los oficios mismos infinitamente más sencillos, pero hizo muchísimo más complicado el proceso de coordinar a la gente que realizaba aquellos oficios y combinar los resultados para obtener un automóvil completo.

Luego entró en escena Alfred Sloan, quien sucedió a William Durant, fundador de General Motors, y creó el prototipo de sistema administrativo que exigía el sistema fabril de Ford, inmensamente más eficiente.

Ni Ford ni Durant aprendieron jamás a administrar las enormes y desparramadas organizaciones que su éxito en la producción en línea de montaje necesitaba y posibilitó — las operaciones de ingeniería, fabricación, ensamble y marketing. Durant, especialmente, con la gran variedad de autos y modelos de GM, descubría a cada rato que la compañía había producido demasiados coches de un modelo para las condiciones del mercado en ese momento, o que era preciso suspender la producción porque no se habían obtenido suficientes materias primas. Cuando Sloan asumió el mando en GM, complementó el sistema iniciado por Ford, y es a ese sistema total al que se le da hoy el nombre de producción en serie.

Sloan creó divisiones más pequeñas, descentralizadas, que los gerentes podían supervisar desde una pequeña oficina corporativa central simplemente controlando las cifras de producción y financieras. Creó una división para cada uno de los modelos de automóvil — Chevrolet, Pontiac, Buick, Oldsmobile y Cadillac — y además otras dedicadas a producir componentes tales como generadores (Delco) y mecanismos de dirección (Saginaw).

En esta forma, Sloan aplicó a la administración el principio de Adam Smith de la división del trabajo, así como Ford lo había aplicado a la producción. A su modo de ver, los ejecutivos de la corporación no necesitaban conocimientos específicos de ingeniería o manufactura; para supervisar esas áreas funcionales estaban los especialistas. Lo que sí necesitaban era pericia financiera. Les bastaba estudiar "los números" — ventas, ganancias y pérdidas, niveles de inventario, participación de mercado, etcétera — generados por las distintas divisiones de la compañía para ver si esas divisiones estaban funcionando bien; si no era así, podían exigir acción correctiva apropiada.

Las innovaciones administrativas de Sloan salvaron a General Motors de una muerte prematura y, además, resolvieron el problema que les había impedido a otras empresas ampliarse. Los nuevos especialistas en marketing y los gerentes financieros que exigía el sistema de Sloan complementaron a los ingenieros profesionales de la compañía. El jefe de GM estableció firmemente la división del trabajo profesional paralelamente con la división del trabajo manual que ya se había verificado en los talleres.

El paso revolucionario final en el desarrollo de las corporaciones que hoy conocemos se dio en los Estados Unidos entre la Segunda Guerra Mundial y el decenio de los 60, que fue un período de enorme expansión económica. Los regímenes de Robert McNamara en la Ford, de Harold Geneen en ITT, y de Reginald Jones en General Electric son el compendio de la gestión administrativa de la época. Por medio de una planificación muy detallada, la alta administración determinó los negocios a los cuales quería dedicarse, cuánto capital debía destinarse a cada uno, y qué utilidades debían producir para la compañía los gerentes operativos de esos negocios. Un numeroso personal de contralores corporativos, planificadores y auditores actuaba como los ojos y los oídos de los ejecutivos, extrayendo datos relativos al desempeño divisional e interviniendo para reajustar los planes y las actividades de dichos gerentes.

El modelo organizacional desarrollado en los Estados Unidos se adoptó rápidamente en Europa y luego en el Japón, después de la Segunda Guerra Mundial. Habiéndose proyectado para un período de fuerte y creciente demanda, y por tanto de crecimiento acelerado, esta organización corporativa se acomodaba perfectamente a las circunstancias de la postguerra.

Una demanda insaciable de bienes y servicios, tanto en el interior como en el exterior, dio forma al ambiente económico de la época. Privados de bienes materiales, primero por la depresión y luego por la guerra, los clientes estaban más que encantados de comprar cuanto les ofrecieran las compañías. Rara vez exigían alta calidad o servicio. Cualquier casa, cualquier automóvil, cualquier nevera era infinitamente mejor que nada.

En los años 50 y 60, la principal preocupación de los ejecutivos desde el punto de vista operativo era la capacidad — es decir, poder correr parejas con una demanda que siempre iba en aumento. Si la compañía construía demasiado pronto una capacidad excesiva de producción, corría el riesgo de endeudarse más de lo que convenía; pero si se demoraba mucho o se limitaba a una capacidad muy pequeña, podía perder participación de mercado por no poder producir. Para resolver estos problemas las empresas idearon sistemas cada vez más complejos de presupuestar, planificar y controlar.

La conocida estructura piramidal de la mayor parte de las organizaciones se adaptaba muy bien a un ambiente de alto crecimiento, porque era escalable. Cuando la compañía quería crecer, le bastaba agregar trabajadores en la base del organigrama, según se necesitaran, y luego ir colocando los estratos administrativos de arriba.

Este tipo de estructura organizacional también era ideal para el control y la planificación. Dividiendo el trabajo en partes, los supervisores podían obtener un desempeño uniforme y exacto de los obreros, y los supervisores de los supervisores podían hacer lo mismo. Era fácil aprobar y controlar los presupuestos departamento por departamento, y los planes se creaban y se ejecutaban sobre la misma base.

Esta forma de organización se prestaba igualmente para períodos cortos de capacitación, pues pocas tareas de producción eran complicadas o difíciles. Por otra parte, a medida que se dispuso de nuevas técnicas de oficina en los años 60, las compañías se sintieron estimuladas para dividir más aún su trabajo de oficina en tareas pequeñas, de repetición, que también se podían mecanizar o automatizar.

Sin embargo, al aumentar el número de tareas, el proceso total de producir y entregar un producto o servicio se complicó inevitablemente, y administrar ese proceso se hizo más difícil. El aumento de personal en los niveles medios del organigrama corporativo — los gerentes funcionales o medios — fue uno de los precios que las compañías pagaron por los beneficios de fragmentar su trabajo en pasos simples, repetitivos, y por organizarse en forma jerárquica.

Otro costo fue la mayor distancia entre la alta administración y el usuario de sus productos o servicios. Los clientes y sus reacciones a la estrategia de la compañía se convirtieron en números abstractos que surgían a través de los estratos.

Éstas son, pues, las raíces de las corporaciones de hoy, los principios, forjados por la necesidad, sobre los cuales se estructuraron las compañías actuales. Si ellas parcelan el trabajo en tareas que no tienen ningún significado, es porque así fue como en un tiempo se logró la eficiencia. Si diluyen poder y responsabilidad a través de masivas burocracias, es porque así fue como aprendieron a controlar empresas desparramadas. Si se resisten a oír las sugerencias de que modifiquen su modo de proceder, es porque estos principios organizacionales y las estructuras a que dieron origen funcionaron muy bien durante muchos decenios.

Sin embargo, la realidad que tienen que enfrentar es que las viejas maneras de negociar — la división del trabajo sobre la cual las compañías se han organizado desde que Adam Smith sentó el principio — sencillamente no funcionan ya. Súbitamente nos encontramos en un mundo distinto. La actual crisis de competitividad global que afrontan las empresas no es el resultado de una recesión económica temporal ni de un punto bajo en el ciclo de los negocios. En verdad, ya ni siquiera podemos contar con un ciclo previsible de los negocios — prosperidad seguida de recesión, seguida por renovada prosperidad — como contábamos antes. En el ambiente de hoy nada es constante ni previsible — ni crecimiento del mercado, ni demanda de los clientes, ni ciclo de vida de los productos, ni tasa de cambio tecnológico, ni naturaleza de la competencia. El mundo de Adam Smith y sus maneras de hacer negocios son el paradigma de ayer.

Tres fuerzas, por separado y en combinación, están impulsando a las compañías a penetrar cada vez más profundamente en un territorio que para la mayoría de los ejecutivos y administradores es aterradoramente ignoto. Llamamos estas fuerzas las tres Ces: Clientes, Competencia y Cambio. Los nombres no son nuevos, por cierto, pero sus características son notablemente distintas de lo que fueron en el pasado.

Veámoslas, una por una, y veamos cómo han cambiado, empezando por los clientes.

- Los clientes asumen el mando

A partir de los primeros años 80, en los Estados Unidos y en otros países desarrollados, la fuerza dominante en la relación vendedor-cliente ha cambiado. Los que mandan ya no son los vendedores; son los clientes. Hoy los clientes les dicen a los proveedores qué es lo que quieren, cuándo lo quieren, y cuánto pagarán. Esta nueva situación está descontrolando a compañías que sólo sabían de la vida en un mercado masivo.

En realidad, un mercado masivo no existió nunca, pero durante la mayor parte de este siglo la *idea* de tal mercado les proporcionó a los fabricantes y a los proveedores de servicios — desde la compañía de automóviles de Henry Ford hasta la compañía de computadores de Thomas Watson — la útil ficción de que sus clientes eran más o menos iguales. Si eso era cierto, o si los compradores se comportaban como si lo fuera, entonces las compañías podían suponer que un producto o servicio estandarizado — un auto negro o un gran computador azul — satisfaría a la mayor parte de ellos. Aun los que no quedaran satisfechos comprarían lo que se les ofreciera porque no tenían mucho para escoger. Los proveedores del mercado masivo tenían relativamente pocos competidores, y éstos ofrecían productos y servicios muy parecidos. En realidad, la mayoría de los clientes no quedaban insatisfechos. No sabían que hubiera nada mejor ni distinto.

Pero ahora que sí tienen opciones, los clientes ya no se comportan como si todos hubieran sido fundidos en el mismo molde. Los clientes — consumidores y corporaciones por igual — exigen productos y servicios diseñados para sus necesidades particulares y específicas. Ya no tiene vigencia el concepto de *el cliente;* ahora es *este cliente,* aquél con quien el vendedor está negociando en determinado momento y que tiene la capacidad de exigir lo que a él le guste. El mercado masivo se dividió en fragmentos, algunos tan pequeños como un solo cliente.

Los clientes individuales, sean consumidores o firmas industriales, exigen que se les trate individualmente. Esperan productos configurados para sus necesidades, entregados según programas que estén de acuerdo con sus planes de manufactura o con sus horarios de trabajo, y condiciones de pago que les sean cómodas. Individual y colectivamente, una serie de factores han contribuido a desplazar el equilibrio de poder de mercado del productor al consumidor.

Las expectativas de los consumidores se fueron a las nubes en los Estados Unidos cuando los competidores, muchos de ellos japoneses, irrumpieron en el mercado con precios más bajos en combinación con productos de mejor calidad. Después, los japoneses sacaron productos nuevos que los estadounidenses no habían tenido aún tiempo de sacar al mercado, o quizá ni lo habían pensado. Es más: los japoneses hicieron todo eso con niveles de servicio que las compañías tradicionales no podían igualar. Esto era producción en serie y *algo más:* calidad, precio, selección y servicio.

En el sector de servicios, los consumidores esperan y exigen más porque saben que pueden obtener más. La tecnología, en forma de bases de información refinadas y fácilmente accesibles, les permite a los proveedores de servicios y a toda clase de minoristas rastrear no sólo información básica acerca de sus clientes sino también sobre sus preferencias y requisitos, sentando así nuevos fundamentos para la competitividad.

Por ejemplo, si en Houston un cliente llama a Pizza Hut para pedir una pizza de pepperoni con hongos, igual a la que pidió la semana anterior, el empleado le pregunta si no le gustaría probar una nueva combinación. Si el cliente acepta, le envía cupones de descuento con ofertas adaptadas a los gustos de ese cliente. Cuando un cliente llama a la línea de servicio de Whirlpool, la llamada se pasa automáticamente al mismo empleado con quien el cliente habló la última vez, creando así una sensación de relación personal e intimidad en un mundo de llamadas gratis. Los minoristas que venden por correo y que tienen la capacidad de reunir una inmensa cantidad de información sobre sus clientes, han perfeccionado un nivel aun superior de servicio personalizado. Una vez que el cliente experimenta este servicio superior, ya no quiere aceptar nada menos.

La increíble consolidación de clientes en algunos mercados — el crecimiento de megacomerciantes en el negocio de automóviles, el puñado de concesiones de comidas rápidas que han reemplazado a millares de fondas independientes, y las pequeñas casas de descuento que han desocupado los escaparates de las tiendas generales — también ha modificado profundamente los términos de la relación vendedor-cliente. Si la muestra dice ahora "Joe Smith, Oldsmobile, Nissan, Isuzu, Mercedes, Jeep, Honda y Saturn", entonces Joe Smith y no General Motors es el que lleva la voz cantante en las negociaciones. Teniendo a su disposición tantas otras marcas, Joe Smith necesita menos de General Motors de lo que ésta necesita de él.

La amenaza de integración a la inversa también ha contribuido a desplazar el poder de los productores a los consumidores. Hoy es muy frecuente que los clientes puedan hacer por sí mismos lo que antes les hacían los proveedores. Las compañías, si lo desean, pueden comprar las mismas máquinas y contratar al mismo personal de que disponen aquéllos, así que pueden decirles: "O lo hace usted como yo quiero, o lo hago yo mismo". Por ejemplo, la tecnología del computador aplicada a la edición les permite a las empresas realizar en sus propias oficinas labores que antes tenían que confiarles a los impresores.

Lo que es cierto de los clientes industriales también es cierto en el caso del consumidor. Cuando los depositantes individuales se dieron cuenta de que ellos también podían comprar las mismas sólidas obligaciones a corto plazo del Tesoro que los bancos compraban con su dinero, muchos redujeron sus saldos en depósito en cuentas que pagaban bajos intereses, privando a los bancos de una importante fuente de ingresos.

Los clientes se han colocado en posición ventajosa en sus relaciones con los vendedores, en parte, porque hoy tienen fácil acceso a mucha más información. El mundo enriquecido en información por la nueva técnica informática ni siquiera exige que el consumidor tenga en casa un computador. Por ejemplo, cualquiera puede ojear el periódico y comparar las tasas de rendimiento sobre certificados de depósito que pagan los diversos bancos en todo el país. Los editores recogen electrónicamente los datos y se los transmiten a los lectores, los cuales ahora saben positivamente si su banco local les está ofreciendo un buen trato, y si no, quién lo ofrece. Un comerciante en automóviles tiene que suponer que cualquier cliente ha leído el número pertinente de *Consumer Reports*, y está bien enterado de lo que el comerciante le pagó al fabricante por el automóvil. Esto hace que el proceso de negociación sea decididamente más complicado para el comerciante.

Para las empresas que crecieron con la mentalidad de mercado masivo, la realidad más difícil de aceptar acerca de los clientes es que *cada uno cuenta*. Si se pierde un cliente hoy, no se aparece otro para reemplazarlo. Durante treinta años después de la Segunda Guerra Mundial hubo una escasez crónica de productos manufacturados. Los fabricantes no podían producir suficientes para satisfacer a todo posible comprador. El efecto de la demanda insaciable fue darles a los productores la ventaja sobre los compradores. En el mercado masivo, para parafrasear la película *Field of Dreams*, si uno lo fabrica alguien lo compra.

Ya no hay escasez de bienes de consumo. En el lado de la oferta de la ecuación hoy operan más productores en todo el mundo. En el lado de la demanda, los países desarrollados tienen tasas más bajas de crecimiento demográfico. Por otra parte, muchos mercados han madurado. Hoy casi todo el que quiere una nevera, una videograbadora de cinta y hasta un computador personal, los tiene. Las correspondientes industrias están en una etapa de reemplazos, y, por consiguiente, el consumidor ejerce un poder muy grande. En otras palabras, puede ser muy exigente.

En suma, en lugar del mercado masivo en expansión de los años 50, 60 y 70, las compañías tienen hoy clientes — individuos y negocios — que saben lo que quieren, cuánto quieren pagar y cómo obtenerlo en las condiciones que les convienen. Tales clientes no necesitan tratar con compañías que no entiendan ni aprecien este notable cambio en la relación productor-comprador.

- La competencia se intensifica

La segunda C es competencia. Antes era sencilla: la compañía que lograba salir al mercado con un producto o servicio aceptable y al mejor precio, realizaba una venta. Ahora no sólo hay más competencia sino que es de muchas clases distintas.

Los competidores de nicho han cambiado la faz de todos los mercados. Se venden artículos similares en distintos mercados sobre bases competitivas totalmente distintas: en un mercado a base de precio, en otro a base de selección, aquí a base de calidad y más allá a base de servicio antes o después de la venta o durante ella. Al venirse abajo las barreras comerciales, ninguna compañía tiene su territorio protegido de la competencia extranjera. Teniendo los japoneses — o alemanes, franceses, coreanos, taiwaneses, etcétera — libertad de competir en los mismos mercados, un solo competidor eficiente puede subir el umbral competitivo para todas las compañías del mundo. Caterpillar compite con Komatsu, DuPont con Hoechst, Chase Manhattan con Barclays. Los eficientes desplazan a los inferiores porque el precio más bajo, la calidad más alta y el mejor servicio que brinda cualquiera de ellos pronto se convierten en la norma para todos. Ya no basta ofrecer un producto o servicio satisfactorio. Si una compañía no puede plantarse hombro a hombro con la mejor del mundo en una categoría competitiva, pronto no tendrá un lugar donde pararse.

Compañías nuevas que no llevan bagaje organizacional ni están limitadas por sus antecedentes pueden entrar en un mercado con el próximo producto o servicio generaciones antes de que las compañías existentes hayan cubierto siquiera sus costos de desarrollo del último. Ser grande ya no es ser invulnerable, y todas las compañías existentes tienen que tener ojo avizor para descubrir a las nuevas — las que son enteramente nuevas y las que han venido trabajando desde hace algún tiempo pero que todavía operan a base de los principios de sus fundadores. Según esta definición, Sun Microsystems es una compañía nueva, y lo mismo Wal-Mart. La innovación del centro de mando electrónico hecha por Sun cambió el curso de la historia para todos los fabricantes de computadores del mundo. Wal-Mart reinventó la venta al por menor.

Las compañías nuevas no siguen las reglas conocidas. Hacen nuevas reglas para manejar los negocios. Wal-Mart no se creó a sí misma a imagen y semejanza de Sears. Libre de la carga del pasado de Sears, concibió una nueva manera de trabajar que produjo resultados. Los activos aparentes de Sears — muchas tiendas que emplean vendedores bien capacitados, sólidas relaciones con los proveedores, sistemas operativos y administrativos muy refinados y que funcionan sin tropiezo — se han convertido en pasivos en el sentido de que no pueden producir los resultados que Wal-Mart ha establecido como nuevas normas competitivas.

La tecnología cambia la naturaleza de la competencia en formas que las compañías no esperaban. Por ejemplo, en ventas al por menor les ha permitido a fabricantes y minoristas como Procter & Gamble y Wal-Mart combinar sus sistemas de distribución y existencias en formas que son beneficiosas para ambas. En servicio después de la venta, la tecnología les permitió a los innovadores idear técnicas totalmente nuevas de servicio. Por ejemplo, Otis Elevator Company desarrolló un ingenioso sistema computadorizado para manejar la complicadísima tarea de prestar servicios en 93 000 ascensores y escaleras mecánicas en Norteamérica durante las 24 horas del día. Mecánicos reparadores llegan al lugar adonde se les ha llamado habiendo sido informados de antemano sobre la naturaleza del problema y los antecedentes de mantenimiento del aparato de que se trata. Innovando con tecnología para perfeccionar la interacción entre ellas y sus clientes, empresas como Otis amplían los límites de lo posible, y con ello suben las expectativas de los clientes respecto de todas las compañías que están en el mercado.

- El cambio se vuelve constante

La tercera C es cambio. Ya sabemos que los clientes y la competencia han cambiado, pero lo mismo ocurre con la naturaleza misma del cambio. Ante todo, el cambio se ha vuelto general y permanente. Es lo normal.

No hace mucho tiempo, las compañías de seguros, por ejemplo, sólo ofrecían dos productos: a término y de por vida. Hoy ofrecen un menú constantemente cambiante de productos, y la presión competitiva para que creen nuevos productos aumenta constantemente.

Por otra parte, el paso del cambio se ha acelerado. Con la globalización de la economía, las compañías se ven ante un número mayor de competidores, cada uno de los cuales puede introducir en el mercado innovaciones de producto y servicio. La rapidez del cambio tecnológico también promueve la innovación. Los ciclos de vida de los productos han pasado de años a meses. Ford produjo el Modelo T para toda una generación. El ciclo de vida de un producto de computador introducido hoy podría llegar a dos años, pero probablemente no llegará. Una compañía que está en el negocio de pensiones desarrolló hace poco un servicio para aprovechar una curiosidad de las leyes tributarias y los tipos de interés. Previó que la vida de mercado sería exactamente tres meses. Si hubiera llegado a este mercado justamente treinta días más tarde se le habría recortado el tiempo de venta del servicio en una tercera parte.

Lo importante es que no sólo han disminuido los ciclos de vida de productos y servicios, sino que también ha disminuido el tiempo disponible para desarrollar nuevos productos e introducirlos. Hoy las empresas tienen que moverse rápidamente, o no se moverán en absoluto.

Además, tienen que mirar en muchas direcciones al mismo tiempo. Los ejecutivos *creen* que sus compañías están equipadas con radares eficientes para detectar el cambio, pero la mayor parte de ellas no lo están. Lo que generalmente detectan son los cambios que ellas mismas esperan. Los gerentes de marca de un fabricante de bienes de consumo que conocemos husmeaban con asiduidad las actitudes de los consumidores a fin de detectar desviaciones que pudieran afectar a sus productos. Sus encuestas les daban siempre buenas noticias, pero la participación de mercado sufrió una baja súbita. Hicieron más encuestas. A los clientes les encantaba el producto, pero la participación de mercado seguía bajando. La explicación era que el proceso de atender pedidos de la compañía era muy descuidado y esto enfurecía a los minoristas, cuya reacción era disminuir su espacio en los anaqueles; pero ni los gerentes de marca ni ninguna otra persona de la compañía tenían una perspectiva bastante amplia para detectar este problema y tomar las medidas del caso.

Los cambios que pueden hacer fracasar a una compañía son los que ocurren fuera del radio de sus expectativas, y allí es donde se origina la mayor parte de ellos en el ambiente económico de nuestra época.

Las tres Ces — clientes, competencia y cambio — han creado un nuevo mundo para los negocios, y cada día se hace más evidente que organizaciones diseñadas para que funcionen en un ambiente no se pueden arreglar para que funcionen en otro. Las compañías creadas para vivir de la producción en serie, la estabilidad y el crecimiento, no se pueden arreglar para que tengan éxito en un mundo en el cual los clientes, la competencia y el cambio exigen flexibilidad y rápidas reacciones.

Hay quienes les atribuyen los problemas de nuestras corporaciones a factores que están fuera del control de la administración — mercados extranjeros cerrados, el bajo costo del capital en el Japón, y la fijación arbitraria de precios por compañías extranjeras subvencionadas por sus gobiernos. Culpan al gobierno de mal manejo de la economía, mala reglamentación y mala administración de los recursos naturales y humanos. Culpan a los sindicatos o a los trabajadores poco preparados o no motivados.

Pero si estas razones explicaran nuestro problema, casi todas las compañías estarían en decadencia. Pero no están en decadencia. Sears quizá pierda mercado, pero Wal-Mart y The Gap progresan. A GM le cuesta trabajo producir en los Estados Unidos automóviles de categoría mundial, pero a Honda no. La industria de seguros, en conjunto, puede estarse desangrando monetariamente, pero algunas compañías, como Progressive Insurance, obtienen utilidades notables. Bethlehem Steel se ha contraído a una décima parte de su tamaño anterior, pero Nucor y otras minisiderúrgicas funcionan bien en el mercado global. En casi todas las industrias, bajo las mismas reglas y con los mismos actores, el éxito de unas pocas compañías desmiente las excusas de muchas.

Si administradores estadounidenses no aciertan con el origen de sus dificultades, mucho menos saben qué hacer al respecto. Muchas personas creen que estas compañías reaccionarían vigorosamente si sólo contaran con el producto o servicio adecuado para los tiempos. Nosotros rechazamos ese modo de pensar porque los productos tienen un ciclo de vida limitado, e incluso los mejores pronto quedan obsoletos. No son los productos sino los procesos que los crean los que llevan a las empresas al éxito a la larga. Los buenos productos no hacen ganadores; los ganadores hacen buenos productos.

Algunas personas creen que las compañías podrían curarse de sus males con nuevas estrategias corporativas, como vender una división y comprar otra, cambiar de mercados, pasarse a otro negocio, manipular los activos o reestructurarse con una compra de acciones a crédito. Pero este modo de pensar distrae a las compañías de efectuar cambios básicos en el trabajo real que hacen. Al mismo tiempo revela un profundo desprecio por las operaciones cotidianas de los negocios. Las compañías no son carteras de activos sino personas que trabajan juntas para inventar, hacer, vender y prestar servicio. Si no tienen éxito en el negocio a que se dedican, es porque su gente no está inventando, haciendo, vendiendo y prestando servicio tan bien como debiera. Hacer el magnate puede ser más divertido para el alto administrador que ensuciarse las manos con los detalles ordinarios de las operaciones, pero no es más importante. "Dios está en los detalles", dijo el arquitecto Mies van der Rohe. Él hablaba de edificios, pero su observación se aplica igualmente bien a manejar un negocio.

Algunas personas, incluso muchos gerentes, les atribuyen los problemas corporativos a deficiencias de la administración. Piensan que si las compañías fueran manejadas de otra manera y mejor, prosperarían. Pero ninguna de las modas administrativas de los últimos veinte años — la administración por objetivos, la diversificación, la Teoría Z, los presupuestos de base cero, los análisis de cadena de valor, la descentralización, los círculos de calidad, la "excelencia", la reestructuración, la administración de cartera, el método de administrar andando, la administración por matrices, el empresariado interno, la administración de un minuto — ha detenido el deterioro del desempeño competitivo de la corporación. Sólo han servido para distraer a los administradores de la tarea realmente necesaria.

Otras personas piensan que la automatización es el remedio para los problemas de los negocios. Es cierto que los computadores aceleran el trabajo, y en el curso de los últimos cuarenta años los negocios han invertido miles de millones de dólares para automatizar tareas que antes se hacían manualmente. Sin duda, la automatización permite realizar algunas tareas más rápidamente; pero, en el fondo, se están haciendo los mismos trabajos, y eso significa que no ha habido mejoras fundamentales en el rendimiento.

Nuestro diagnóstico del problema es sencillo, pero la acción correctiva que exige no es tan fácil de ejecutar como las soluciones que ya se han probado. Nuestro diagnóstico va al corazón mismo de lo que una compañía hace. Descansa en la premisa de que una compañía que es mejor que otras en lo básico de su negocio — inventar productos y servicios, fabricarlos o prestarlos, venderlos, atender pedidos y servir a los clientes — derrotará a la competencia en el mercado. Creemos que, en general, la diferencia entre las compañías ganadoras y las perdedoras es que las primeras saben hacer su trabajo mejor. Si las compañías quieren volver a ser ganadoras, tendrán que echar un vistazo a la manera de realizar su trabajo. Así es de sencillo y de formidable.

Para ilustrar qué queremos decir cuando manifestamos que una compañía hace su trabajo, echemos un vistazo a un proceso común que se encuentra en casi todas las compañías: el despacho de pedidos. Éste empieza cuando un cliente hace un pedido, termina cuando se le entrega la mercancía, e incluye todos los pasos intermedios. El proceso comprende más o menos una docena de pasos a cargo de distintas personas en distintos departamentos. Alguien del servicio a clientes recibe el pedido, lo anota y verifica que esté completo y exacto. Luego el pedido pasa a finanzas, donde otra persona verifica la posición de crédito del cliente. A continuación un empleado de operaciones de ventas determina qué precio se debe cobrar. Luego el pedido va a control de inventario, donde alguien verifica si hay existencia de lo que el cliente quiere. Si no hay, el pedido tiene que remitirse a planificación de producción, donde expiden una orden de tramitación. Finalmente, operaciones de bodega produce un programa de despacho. Tráfico determina el medio de transporte — ferrocarril, camión, avión o por agua — y escoge la ruta y el transportista. Manejo de productos toma la mercancía de la bodega, verifica la exactitud del pedido, reúne los distintos artículos y los carga. Tráfico le entrega el despacho al transportista, que asume la responsabilidad de entregárselo al cliente.

El proceso puede ser complejo, pero, viéndolo desde la perspectiva del principio de división del trabajo de Adam Smith y de los principios de control administrativo y responsabilidad de Alfred Sloan, tiene ciertas ventajas. Por una parte, las compañías no necesitan tener personal con altos estudios para realizarlo. Todos los que participan tienen la responsabilidad específica de realizar una sola tarea sencilla. Por otra parte, cada uno es responsable a través de una cadena de mando burocrática.

Sin embargo, las compañías deben aceptar acomodamientos para poder mantener las tareas sencillas y ejercer rígido control sobre los actos de los empleados. En primer lugar, como ninguna persona de la compañía supervisa todo el proceso y sus resultados, nadie es responsable de él. De los que toman parte en el proceso, no hay ninguno que pueda decirle al cliente dónde está su pedido y cuándo le llegará. Muchas personas toman parte en despacho de pedidos pero éste no es responsabilidad exclusiva de una sola persona o de *una* unidad funcional.

En segundo lugar, el proceso está sujeto a errores. Éstos son inevitables porque muchas personas tienen que manejar el mismo pedido actuando separadamente.

Predicar sobre la calidad no sirve de nada. Aunque todos los que intervienen hicieran su oficio en forma perfecta y exactamente en el tiempo previsto, el proceso seguiría siendo lento y propenso a errores porque existen demasiados pases laterales: por lo menos nueve, y más si el pedido vuelve a pedidos por tramitar. Cada pase significa colas, lotes y tiempos de espera.

Además, el despacho clásico de pedidos no contiene ningún elemento de servicio al cliente. Los procesos complejos en que participa una docena de personas que trabajan a través de líneas departamentales no se pueden hacer suficientemente flexibles para atender solicitudes especiales o contestar averiguaciones. Nadie está capacitado para contestar una pregunta o resolver un problema. Una vez que el pedido entra en el proceso, es como si se hubiera perdido, hasta que sale al otro lado . . . cuando le toque.

Limitarse a corregir las piezas del proceso no resuelve el problema grande. Las compañías que intentan mejorar su rendimiento tratando de reparar las piezas del proceso no ven este hecho. En efecto, intentar corregir las deficiencias por el método de tratar de reparar las piezas individuales del proceso es la mejor manera que conocemos de *garantizar* la continuidad de un mal rendimiento del negocio. A pesar de esto, en una tras otra de las compañías que hemos visto la administración trabaja por arreglar las partes en lugar de rediseñar el proceso mediante el cual se realiza el trabajo de la compañía.

El mensaje central de nuestro libro es, pues: Ya no es necesario ni deseable que las empresas organicen su trabajo en torno a la división del trabajo de Adam Smith. Los oficios orientados a tareas son obsoletos en el mundo actual de clientes, competencia y cambio. Lo que las compañías tienen que hacer es organizarse en torno al *proceso.*

Ésta es una afirmación tan radical y tan trascendental hoy como lo fue en su tiempo la de Adam Smith. Los administradores que comprendan y acepten este concepto del trabajo basado en proceso contribuirán a que sus empresas vayan a la cabeza. Los que no, se quedarán atrás.

Escribiremos sobre "procesos" en todo el resto del libro, pero ya debe ser obvio por qué es tan importante una perspectiva de proceso para cualquier compañía que quiera resolver el dilema que hoy afrontan los negocios. Ya debiera ser posible ver por qué las compañías no se pueden corregir sino que se tienen que reinventar.

Actualmente, en la mayor parte de las compañías nadie está a cargo de los procesos. En realidad, casi ni se dan cuenta de ellos. ¿Tiene alguna compañía un vicepresidente encargado del despacho de pedidos, de ver que los productos lleguen a los clientes? Probablemente no. ¿Quién está *a cargo* de desarrollar nuevos productos? Todo el mundo toma parte — investigación y desarrollo, marketing, finanzas, manufactura, etcétera — pero nadie está encargado.

Las compañías actuales constan de silos funcionales, o chimeneas, estructuras verticales construidas sobre las estrechas piezas de un proceso. La persona que verifica el crédito del cliente pertenece al departamento de crédito, que probablemente forma parte de la organización financiera. Los que escogen los artículos del pedido trabajan en la bodega, y es posible que dependan del vicepresidente de manufactura. Despachos, en cambio, forma parte de la logística. Los que toman parte en un proceso miran *hacia dentro* de su propio departamento y *hacia arriba,* donde está su superior; pero nadie mira *hacia fuera,* donde está el cliente. Los actuales problemas de rendimiento que experimentan las empresas son la consecuencia inevitable de la fragmentación del proceso.

Las estructuras clásicas de los negocios, que especializan el trabajo y fragmentan los procesos, tienden a perpetuarse porque ahogan la innovación y la creatividad en una organización. Si alguien en un departamento funcional realmente tiene una idea nueva — por ejemplo, una manera mejor de despachar los pedidos de los clientes —, primero tiene que convencer a su jefe, el cual a su vez tiene que convencer a su superior y así sucesivamente a través de la jerarquía corporativa. Para que una idea sea aceptada todos tienen que decir que sí, pero en cambio para matar la idea basta con un no. Desde el punto de vista de sus diseñadores, esta obstaculización institucionalizada de la innovación no es un defecto de la estructura clásica sino una salvaguardia contra cambios que podrían introducir riesgos indeseables.

Los procesos fragmentados y las estructuras especializadas de compañías diseñadas para otra época tampoco responden bien a grandes cambios en el ambiente externo — es decir, en el mercado. El diseño actual de procesos da por sentado que las condiciones se modificarán sólo dentro de límites estrechos y previsibles. Retirando la administración de las operaciones y fraccionando esas operaciones entre departamentos especializados, las organizaciones actuales hacen que nadie esté en situación de darse cuenta de un cambio significativo, o que si se da cuenta, no pueda hacer nada al respecto.

En la actualidad, las organizaciones fragmentadas muestran extraordinarias deseconomías de escala, precisamente lo contrario de lo que buscaba Adam Smith. Las deseconomías aparecen no solamente en mano de obra directa sino también en costos indirectos. Si, por ejemplo, una compañía hace 100 unidades de trabajo por hora y cada uno de sus trabajadores puede hacer 10 unidades, la compañía necesitaría 11 personas: 10 trabajadores y 1 supervisor. Pero si la demanda de los artículos de la empresa aumenta 10 veces, o sea a 1 000 unidades de trabajo por hora, la compañía necesitará justamente diez veces más trabajadores, más un gerente para cada 10 trabajadores nuevos. Necesitaría unas 196 personas: 100 trabajadores, 10 supervisores, 1 gerente, 3 subgerentes, 18 personas en una entidad de recursos humanos, 19 empleados en planificación a largo plazo, 22 en auditoría y control, y 23 en facilitación y expedición.

La deseconomía de escala no obedece sólo a proliferación burocrática y gigantismo, si bien algo de esto también ocurre. Es más bien consecuencia de un concepto equivocado de administración organizacional. Las compañías toman un proceso natural, como por ejemplo el despacho de pedidos, y lo dividen en un montón de piezas pequeñas: las tareas individuales que hace la gente en los departamentos funcionales. Luego tienen que contratar un ejército de personas para que vuelvan a juntar las piezas y armar el proceso. Estas personas, con títulos como auditor, contralor, expedidor, enlace, supervisor, gerente y vicepresidente, son simplemente el pegamento que mantiene unidas a las personas que realizan el trabajo real: los verificadores de crédito, los que toman la mercancía de existencias, los que despachan los paquetes. Muchas compañías pueden bajar los costos de mano de obra directa, pero los costos indirectos suben, y suben mucho. En otras palabras, hoy las compañías están pagando más por el pegamento que por el trabajo real — lo cual es una receta para crear dificultades.

Inflexibilidad, insensibilidad, falta de enfoque al cliente, obsesión con la actividad más bien que con el resultado, parálisis burocrática, falta de innovación, altos costos indirectos — estas características no son nuevas; no han aparecido súbitamente. Siempre han existido. Lo que pasa es que hasta hace poco tiempo las compañías no tenían que preocuparse mucho por ellas. Si los costos subían mucho, podían trasladarlos a los clientes. Si los clientes no estaban satisfechos, no tenían a quién acudir. Si tardaban en aparecer nuevos productos, los clientes esperaban. El trabajo administrativo importante consistía en administrar el crecimiento, y lo demás no importaba. Ahora que el crecimiento se ha nivelado, lo demás importa muchísimo.

Lo grave es que estamos entrando en el siglo XXI con compañías diseñadas en el XIX para que funcionaran en el XX.

Necesitamos algo enteramente distinto.

CAPÍTULO 2

REINGENIERÍA: EL CAMINO DEL CAMBIO

Cuando nos piden una breve definición de la reingeniería de negocios, contestamos que significa "empezar de nuevo". No significa chapucear con lo que ya existe ni hacer cambios incrementales que dejan intactas las estructuras básicas. No se trata de remendar nada, de hacer componendas en el sistema existente para que funcione mejor. Lo que significa es abandonar procedimientos establecidos hace mucho tiempo y examinar otra vez desprevenidamente el trabajo que se requiere para crear el producto o servicio de una compañía y entregarle algo de valor al cliente. Significa plantearse este interrogante: "Si yo fuera a crear hoy esta compañía, sabiendo lo que hoy sé y dado el actual estado de la tecnología, ¿cómo resultaría?" Rediseñar una compañía significa echar a un lado sistemas viejos y empezar de nuevo. Implica volver a empezar e inventar una manera mejor de hacer el trabajo.

Esta definición informal está muy bien para la conversación porque da la idea de lo que entendemos por reingeniería del negocio. Pero el que quiera aplicar esa reingeniería a una compañía necesita algo más.

¿Cómo rediseña una compañía sus procesos? ¿Por dónde comienza? ¿Quiénes toman parte? ¿De dónde vienen las ideas para un cambio radical?

Hemos observado compañías que han buscado mediante pruebas y ensayos las respuestas a estos interrogantes. Hemos actuado como asesores de empresas que efectuaron cambios radicales, y hemos observado otras. De sus experiencias y de las nuestras surgió el concepto de la reingeniería que hemos desarrollado hasta convertirlo en un proceso para reinventar una compañía. Para ejecutar este proceso, nosotros y las compañías con las cuales hemos trabajado desarrollamos un conjunto de técnicas. No son fórmulas sino herramientas de que se pueden valer las compañías para reinventar la manera de realizar su trabajo.

Nuestras experiencias y las de nuestros clientes con estas técnicas son alentadoras. Usadas debidamente — esto es, con inteligencia e imaginación — funcionan y pueden conducir a asombrosas mejoras del rendimiento. El resto de este libro trata de la reingeniería del negocio y cómo puede uno hacer que ella tenga éxito en su empresa.

DEFINICIÓN FORMAL DE REINGENIERÍA

Empecemos, pues, con una definición mejor. Propiamente hablando, "reingeniería es la revisión fundamental y el rediseño radical de procesos para alcanzar mejoras espectaculares en medidas críticas y contemporáneas de rendimiento, tales como costos, calidad, servicio y rapidez". Esta definición contiene cuatro palabras claves.

Palabra clave: Fundamental

La primera palabra clave es *fundamental.* Al emprender la reingeniería de su negocio, el individuo debe hacerse las preguntas más básicas sobre su compañía y sobre cómo funciona. *¿Por qué* hacemos lo que estamos haciendo? ¿Y por qué lo hacemos en esa forma? Hacerse estas preguntas lo obliga a uno a examinar las reglas tácitas y los supuestos en que descansa el manejo de sus negocios. A menudo esas reglas resultan anticuadas, equivocadas o inapropiadas.

La reingeniería empieza sin ningún preconcepto, sin dar nada por sentado; en efecto, las compañías que emprenden la reingeniería deben cuidarse de los supuestos que la mayoría de los procesos ya han arraigado en ellas. Preguntarse "¿Cómo podemos hacer en forma más eficiente la investigación de crédito?" da por sentado que el crédito de los clientes se debe investigar. En muchos casos, el costo de investigarlo resulta superior a lo que se pierde por cuentas incobrables que la investigación evitaría. La reingeniería determina primero *qué* debe hacer una compañía; luego, *cómo* debe hacerlo. No da nada por sentado. Se olvida por completo de lo que *es* y se concentra en lo que *debe ser*.

PALABRA CLAVE: RADICAL

La segunda palabra clave de nuestra definición es *radical*, del latín *radix*, que significa raíz. Rediseñar radicalmente significa llegar hasta la raíz de las cosas: no efectuar cambios superficiales ni tratar de arreglar lo que ya está instalado sino abandonar lo viejo. Al hablar de reingeniería, rediseñar radicalmente significa descartar todas las estructuras y los procedimientos existentes e inventar maneras enteramente nuevas de realizar el trabajo. Rediseñar es *reinventar* el negocio, no mejorarlo o modificarlo.

PALABRA CLAVE: ESPECTACULAR

La tercera palabra clave es *espectacular*. La reingeniería no es cuestión de hacer mejoras marginales o incrementales sino de dar saltos gigantescos en rendimiento. Si una compañía se encuentra el 10% por debajo del nivel al que debiera haber llegado, si sus costos son demasiado altos en un 10%, si su calidad es el 10% muy baja, si su servicio a los clientes necesita una mejora del 10%, esa compañía *no necesita* reingeniería. Con métodos convencionales, desde exhortar a la gente hasta establecer programas incrementales de calidad, se puede sacar a una empresa de un retraso del 10%. Se debe apelar a la reingeniería únicamente cuando exista la necesidad de volar todo. La mejora marginal requiere afinación cuidadosa; la mejora espectacular exige volar lo viejo y cambiarlo por algo nuevo.

En nuestra experiencia hemos identificado tres clases de compañías que emprenden la reingeniería. Las primeras son compañías que se encuentran en graves dificultades. Éstas no tienen más remedio. Si los costos están en un orden de magnitud superior al de los de sus competidores o a lo que permite su modelo económico, si su servicio a los clientes es tan sumamente malo que los clientes se quejan abiertamente, si el índice de fracasos con sus productos es dos, tres o cinco veces superior al de la competencia, en otras palabras, si necesita mejoras inmensas, esa compañía evidentemente necesita reingeniería. Ford Motor Company, en los primeros años 80, es un buen ejemplo.

En segundo lugar están las compañías que todavía no se encuentran en dificultades, pero cuya administración tiene la previsión de detectar que se avecinan problemas. La Aetna Life and Casualty, en la segunda mitad de los años 80, es un buen ejemplo. Por el momento, los resultados financieros pueden parecer satisfactorios, pero hay nubes en el horizonte que amenazan arramblar con las bases del éxito de la empresa: nuevos competidores, requisitos o características cambiantes de los clientes, un ambiente reglamentario o económico cambiado. Estas compañías tienen la visión de empezar a rediseñarse antes de caer en la adversidad.

El tercer tipo de compañías que emprenden la reingeniería lo constituyen las que están en óptimas condiciones. No tienen dificultades visibles ni ahora ni en el horizonte, pero su administración tiene aspiraciones y energía. Ejemplos son Hallmark y Wal-Mart. Las compañías de esta tercera categoría ven la reingeniería como una oportunidad de ampliar su ventaja sobre los competidores. De esta manera buscan levantar más aún la barrera competitiva y hacerles la vida más difícil a todos los demás. Indudablemente, rediseñar desde una posición de fortaleza es una cosa difícil de emprender. ¿Por qué volver a redactar las reglas cuando uno ya está ganando el partido? Se ha dicho que el sello de una empresa de verdadero éxito es la voluntad de abandonar lo que durante largo tiempo ha tenido éxito. Una compañía realmente grande abandona de buen grado prácticas que han funcionado bien durante largo tiempo, con la esperanza y la expectativa de salir con algo mejor.

A veces explicamos las diferencias que hay entre estos tres tipos de empresas de esta manera: Las de la primera categoría están desesperadas; han chocado con una muralla y están heridas en el suelo. Las de la segunda categoría siguen corriendo a alta velocidad pero la luz de los faros permite ver un obstáculo que se les viene encima. ¿Será una muralla? Las compañías de la tercera categoría salieron a pasear una tarde clara y despejada, sin ningún obstáculo a la vista. Qué buena oportunidad, piensan ellas, para detenerse a levantar una muralla para cerrarles el paso a los demás.

Palabra clave: Procesos

La cuarta palabra clave en nuestra definición es *procesos*. Aunque es la más importante de las cuatro, también es la que les da más trabajo a los gerentes corporativos. Muchas personas de negocios no están "orientadas a los procesos"; están enfocadas en tareas, en oficios, en personas, en estructuras, pero no en procesos.

Definimos un proceso de negocios como un conjunto de actividades que recibe uno o más insumos y crea un producto de valor para el cliente. Ilustramos el proceso en el capítulo 1 cuando hablamos del despacho de pedidos, que recibe un pedido como un insumo y da por resultado la entrega de los bienes pedidos. En otras palabras, la entrega de dichos bienes en las manos del cliente es el valor que el proceso crea.

Bajo la influencia de la idea de Adam Smith, de dividir el trabajo en sus tareas más simples y asignar cada una de éstas a un especialista, las compañías modernas y sus administradores se concentran en tareas individuales de este proceso — recibir el formulario de pedido, escoger los bienes en la bodega, etcétera — y tienden a perder de vista el objetivo grande, que no es otro que poner los bienes en las manos del cliente que los pidió. Las tareas individuales dentro de este proceso son importantes, pero ninguna de ellas tiene importancia para el cliente si el proceso global no funciona, es decir, si no entrega los bienes.

Nos valdremos de tres ejemplos de reingeniería para ilustrar cómo funciona y qué puede lograr para las compañías. Al leer estos ejemplos es útil tener presentes las cuatro palabras claves que caracterizan la reingeniería: fundamental, radical, espectacular y proceso; pero especialmente proceso. Pensar en función de tareas — fragmentar el trabajo en sus componentes más simples y asignar éstos a trabajadores especializados — ha influido en el diseño de las compañías durante los últimos doscientos años. El cambio para pensar en función de procesos ya comenzó, y se ilustra en los cambios radicales que han efectuado compañías principales como IBM Credit, Ford Motor y Kodak.

Ejemplo: IBM Credit

Nuestro primer caso es el de IBM Credit Corporation, subsidiaria de propiedad total de IBM, que si fuera independiente se contaría entre las 100 compañías de servicios de *Fortune.* Su negocio es financiar los computadores, los programas y los servicios que vende IBM Corporation. Es un negocio muy del agrado de la compañía matriz, pues financiar las compras de los clientes es sumamente lucrativo.

En sus primeros años, la operación de IBM Credit era un modelo de expediente burocrático. Cuando llamaba un vendedor para solicitar financiamiento para un cliente, se comunicaba con una de catorce personas sentadas en torno a una mesa en una sala de conferencias. La persona que recibía la llamada anotaba la solicitud en una hoja de papel. Ése era el primer paso.

En el segundo paso, alguien llevaba el papel a las oficinas del piso superior, donde estaba el departamento de crédito, y allí un especialista registraba la información en un sistema de computador y verificaba la capacidad de crédito del cliente. El especialista escribía los resultados de la investigación en una hoja de papel y la despachaba al siguiente eslabón de la cadena, que era el departamento de prácticas comerciales.

Este departamento, tercer paso, estaba encargado de modificar el contrato corriente de préstamo según lo que el cliente hubiera solicitado. Prácticas comerciales tenía su propio sistema de computador. Cuando terminaba, una persona del departamento adjuntaba las condiciones especiales al formulario de solicitud. A continuación, la solicitud pasaba al encargado de fijar el precio, cuarto paso, el cual introducía los datos en un computador personal para sacar una proyección electrónica y determinar el tipo de interés que se debía cobrar al cliente. Anotaba ese tipo de interés en una hoja de papel, la cual junto con todas las demás le entregaba a un grupo de oficina, paso quinto.

Allí un administrador convertía toda esta información en una carta de cotización para enviársela por Federal Express al vendedor en la sucursal.

El proceso total consumía seis días en promedio, aun cuando algunas veces tardaba hasta dos semanas. Desde el punto de vista del vendedor, este ciclo era demasiado largo porque le daba al cliente seis días durante los cuales podía buscar otra fuente de financiación, o ser seducido por otro vendedor de computadores, o simplemente se podía desanimar de hacer la compra. Entonces el vendedor llamaba por teléfono — y llamaba y llamaba — a preguntar: "¿Qué pasa con mi negocio? ¿Cuándo va a salir?" Nadie le podía decir, pues la solicitud estaba perdida en algún punto de la cadena.

En sus esfuerzos por aligerar este proceso, IBM Credit trató de hacer diversas cosas. Por ejemplo, resolvió instalar una oficina de control que pudiera contestar las averiguaciones del vendedor acerca del estado de su negocio. Es decir, que en lugar de que cada departamento trasladara la solicitud de crédito al paso siguiente de la cadena, la entregaba a la oficina de control, que era donde se recibían las llamadas originales. Allí un funcionario iba apuntando la terminación de cada paso antes de dar curso al expediente. Este arreglo resolvió efectivamente uno de los problemas: La oficina de control sabía dónde estaba cada solicitud en el laberinto y le podía dar al vendedor la información pertinente. Infortunadamente, esa información se lograba a costa de agregar más tiempo al ciclo.

Por último, dos ejecutivos de IBM Credit concibieron una idea brillante. Tomaron una solicitud de financiamiento, la llevaron ellos mismos durante todos los cinco pasos, y le solicitaron al personal de cada oficina que dejara a un lado cualquier cosa que estuviera haciendo y que tramitara esa solicitud como lo haría normalmente, pero sin la demora de que se quedara en un rimero de papeles sobre el escritorio de algún empleado. Así descubrieron que para realizar el trabajo efectivo se necesitaban en total sólo *noventa minutos* — una hora y media. El resto del tiempo — que ya era más de siete días en promedio — se consumía en pasar el expediente de un departamento al siguiente. La administración había empezado a examinar el meollo mismo de la cuestión, que era el proceso global de concesión de crédito. En realidad, si por arte de encantamiento la compañía pudiera duplicar la productividad personal de cada individuo de la organización, el tiempo total del ciclo se reduciría en sólo 45 minutos. El problema no estaba en las tareas ni en las personas que las realizaban sino en la estructura del proceso en sí. En otras palabras, era el proceso lo que había que cambiar, no los pasos individuales.

Al final, IBM Credit cambió a sus especialistas — investigadores de crédito, fijadores de precios, etcétera — por generalistas. En adelante, en lugar de mandar una solicitud de oficina en oficina, una sola persona, llamada estructurador de negociaciones, se encargó de tramitar toda la solicitud desde el principio hasta el fin: no más pases laterales.

¿Cómo pudo un generalista reemplazar a cuatro especialistas? El viejo diseño de proceso se basaba, en realidad, en un supuesto muy arraigado (pero profundamente escondido): que cada solicitud era única en su clase y difícil de tramitar, por lo cual se requería la intervención de cuatro especialistas altamente calificados. En realidad, el supuesto era falso; la mayoría de las solicitudes son sencillas y claras. El viejo proceso había sido superdiseñado para manejar las solicitudes más difíciles que la administración pudiera imaginar. Cuando los altos ejecutivos examinaron con cuidado el trabajo de los especialistas, encontraron que éste era poco más que trabajo de oficina: encontrar una calificación de crédito en un banco de datos, meter números en un modelo estándar, sacar cláusulas de rutina de un archivo. Estas tareas están perfectamente dentro de la capacidad de un solo individuo, siempre que éste cuente con el apoyo de un sistema de computador fácil de manejar y que le dé acceso a toda la información y herramientas que utilizarían los especialistas.

IBM Credit desarrolló también un nuevo sistema muy refinado de computador para apoyar a los estructuradores. En la mayoría de las situaciones, el sistema les da a éstos la guía que necesitan para proceder. En situaciones realmente difíciles, pueden obtener ayuda de un pequeño grupo de verdaderos especialistas — expertos en investigación de crédito, fijación de precios, etcétera. Aun aquí, los pases laterales desaparecieron porque el estructurador y el especialista trabajan en equipo.

La mejora del rendimiento que se alcanzó con la reingeniería fue extraordinaria. IBM Credit redujo su ciclo de *siete días* a sólo *cuatro horas;* y lo logró sin aumento de personal, sino antes bien con una pequeña reducción del número de empleados. Al mismo tiempo, el número de negociaciones que despacha se centuplicó. No aumentó en un ciento por ciento sino *cien veces más.*

Lo que alcanzó IBM Credit — una reducción del 90% en el tiempo del ciclo y una centuplicación de la productividad — encaja muy bien en nuestra definición de reingeniería. La compañía alcanzó un avance *espectacular* de rendimiento haciendo un cambio *radical* en el *proceso* global. IBM Credit no se preguntó: "¿Cómo mejoramos la manera de calcular una cotización de financiamiento? ¿Cómo mejoramos el proceso de la investigación de crédito?" Lo que se preguntó fue: "¿Cómo mejoramos el proceso de otorgar crédito?" Además, al hacer el cambio radical acabó con el supuesto de que necesitaba especialistas para dar pasos especializados.

Ejemplo: Ford Motor

En nuestro segundo ejemplo de reingeniería observamos cambios en una categoría distinta de procesos. Ya definimos un proceso como un conjunto de actividades encaminadas a entregar algo de valor a un cliente, y mencionamos el despacho de pedidos y el otorgamiento de crédito como ejemplos. Sin embargo, el cliente de un proceso no es necesariamente un cliente de la compañía. El cliente puede estar dentro de la compañía, como es el caso, por ejemplo, en el proceso de adquisición o compra de materiales, que suministra materiales a las operaciones manufactureras de una empresa. También a estos procesos se puede aplicar la reingeniería, como lo descubrió Ford Motor Company.

A principios de los años 80, Ford, como muchas otras corporaciones, estaba buscando maneras de reducir los costos indirectos y administrativos. Uno de los puntos donde creía poder lograr tal reducción era en su departamento de cuentas por pagar, entidad que pagaba las cuentas que remitían los proveedores de Ford. Por ese entonces, el departamento de cuentas por pagar en Norteamérica ocupaba a más de 500 personas. Los ejecutivos de Ford creían que utilizando computadores para automatizar algunas funciones podían alcanzar una reducción del 20% del personal, dejando así el número total de empleados en 400. Según nuestra definición, esta mejora incremental obtenida automatizando el proceso manual existente, no es reingeniería del negocio. Sin embargo, los ejecutivos de Ford consideraban bastante bueno un 20% — hasta que visitaron a Mazda.

Ford había adquirido recientemente un 25% de la propiedad de la compañía japonesa, sin duda más pequeña. Los ejecutivos de Ford observaron que Mazda atendía a sus cuentas por pagar con sólo *cinco* empleados. El contraste entre 500 de Ford y 5 de Mazda era demasiado para que se pudiera atribuir solamente a la diferencia de tamaño, o al *esprit de corps* de Mazda, o a sus canciones o a sus ejercicios calisténicos matinales. Era claro que automatizar para lograr una reducción del 20% del personal no colocaría a Ford a la par con Mazda en materia de costos, así que los ejecutivos se vieron obligados a volver a estudiar todo el proceso en que tomaba parte el departamento de cuentas por pagar.

Esta decisión marcó un desplazamiento crítico en la perspectiva de Ford porque las compañías sólo pueden rediseñar procesos de negocios, no entidades administrativas que se han constituido para llevarlos a cabo. "Cuentas por pagar" no se puede rediseñar porque no es un proceso; es un departamento, un artefacto organizacional de un determinado diseño procedimental. El departamento de cuentas por pagar consiste en un grupo de empleados que están en una oficina pasándose papeles los unos a los otros. *Ellos* no se pueden rediseñar, pero lo que ellos *hacen*, sí. La forma en que se organicen después para realizar el nuevo proceso de trabajo vendrá luego como consecuencia de los requisitos del mismo proceso rediseñado.

Debemos insistir en la importancia crucial de esta distinción. La reingeniería tiene que concentrarse en un proceso fundamental del negocio, no en departamentos ni en otras unidades organizacionales. Definir el esfuerzo de reingeniería en función de una unidad organizacional es condenarlo al fracaso. Una vez que se rediseñe un real proceso de trabajo, la forma de la estructura organizacional necesaria para ejecutar el trabajo se hará evidente. Probablemente no se parecerá mucho a la vieja organización; algunos departamentos u otras unidades hasta podrán desaparecer, como ocurrió en Ford.

El proceso que al fin rediseñó Ford no fue "cuentas por pagar" sino "abastecimiento". Ese proceso toma como insumo una orden de compra, por ejemplo, de una planta que necesita partes, y le proporciona a esa planta (que es el cliente del proceso) bienes comprados y pagados. El proceso de abastecimiento incluye la función de cuentas por pagar, pero también comprende compras y recibos.

El antiguo proceso de adquisiciones de Ford era muy convencional. Empezaba en el departamento de compras, que le enviaba al proveedor una orden de compra, con copia para cuentas por pagar. Cuando el vendedor enviaba la mercancía y ésta llegaba a Ford, un empleado del muelle de recibo llenaba un formulario en que se describían los bienes, y lo remitía a cuentas por pagar. Al mismo tiempo, el vendedor enviaba su factura a cuentas por pagar.

Así, pues, cuentas por pagar tenía entonces en su poder tres documentos relativos a estos bienes: la orden de compra, el documento de recibo y la factura. Si los tres coincidían, un empleado expedía una orden de pago. La mayor parte del tiempo eso era lo que ocurría, pero de vez en cuando, intervenía Vilfredo Pareto.

Pareto, economista italiano de principios del siglo XX, formuló lo que nosotros llamamos la regla 80-20, conocida técnicamente como la ley de mala distribución. Ésta dice que el 80% del esfuerzo hecho en un proceso es causado por sólo el 20% del insumo. En el caso de las cuentas por pagar de Ford, los empleados gastaban la mayor parte de su tiempo enderezando las situaciones poco frecuentes en que los documentos — orden de compra, documento de recibo y factura — no coincidían. A veces, para la resolución se requerían semanas y una enorme cantidad de trabajo para rastrear y aclarar las discrepancias.

El nuevo proceso de pagar cuentas de Ford es radicalmente distinto. Los empleados de cuentas por pagar ya no cotejan la orden de compra con la factura y el documento de recibo, principalmente porque el nuevo proceso eliminó la factura. Los resultados han sido espectaculares. En vez de 500 personas, Ford tiene ahora apenas 125 para atender al pago a los proveedores.

El nuevo proceso es más o menos asi: Un comprador del departamento de compras le envía una orden a un proveedor, y, al mismo tiempo, le da entrada a esa orden en un banco de datos que está en línea. Los proveedores, lo mismo que antes, despachan la mercancía al muelle de recibo, y cuando ésta llega, un empleado comprueba en una terminal de computador si el despacho que se acaba de recibir corresponde a una orden de compra pendiente en el banco de datos. Sólo hay dos posibilidades: o corresponde o no. En el primer caso, el empleado acepta el despacho y oprime un botón del teclado de su terminal, que le dice al banco de datos que los bienes llegaron. El recibo de los bienes queda, pues, registrado en el banco de datos, y el computador automáticamente gira un cheque y, a su debido tiempo, se lo remite al proveedor. Si, por el contrario, los bienes no corresponden a una orden de compra pendiente en el banco de datos, el empleado del muelle de recibo lo rechaza y se lo devuelve al proveedor.

El concepto básico del cambio en Ford es sencillo. La autorización de pago que antes la daba cuentas por pagar, ahora la da el muelle de recibo. El viejo proceso fomentaba complejidades increíbles: averiguaciones, archivo de asuntos pendientes, archivo-memorándum — lo suficiente para mantener más o menos ocupados a 500 empleados. El nuevo proceso es algo muy distinto. En efecto, casi se ha eliminado la necesidad de un departamento de cuentas por pagar. En algunas partes de Ford, tales como la División de Motores, el personal de cuentas por pagar es hoy apenas el 5% de lo que era anteriormente. Sólo queda un puñado de personas para atender a las situaciones excepcionales.

El proceso de reingeniería de Ford acaba con reglas muy rígidas que se habían observado siempre. Todo negocio tiene tales reglas hondamente incrustadas en sus operaciones, sea que se proclamen explícitamente o no.

Por ejemplo, la primera regla del departamento de cuentas por pagar de la Ford era: Pagamos cuando recibimos la factura. Aunque rara vez se planteaba en estos términos, lo cierto es que ella era la base del antiguo proceso. Cuando los administradores de Ford reinventaron este proceso, se preguntaron si realmente querían seguir observando esa regla. La respuesta fue que no. La manera de acabar con ella fue eliminar las facturas. En lugar de "Pagamos cuando recibimos la *factura*" la nueva regla es "Pagamos cuando recibimos los *bienes*". El cambio de esa sola palabra estableció la base de un cambio importantísimo en el negocio. Otros cambios de una sola palabra en las viejas reglas han producido efectos parecidos.

Por ejemplo, en una de sus plantas de camiones, en lugar de "Pagamos cuando recibimos los bienes", Ford ha puesto en práctica una regla más nueva aún: "Pagamos cuando *usamos* los bienes". En efecto, la compañía le dijo a uno de sus proveedores de frenos: "Nos gustan sus frenos y los seguiremos instalando en nuestros camiones. Pero mientras los instalamos, los frenos siguen siendo *suyos*, no nuestros. Sólo se vuelven nuestros cuando los usamos, y entonces es cuando les pagaremos. Cada vez que salga de la línea un camión provisto de un juego de sus frenos, les mandaremos un cheque". Este cambio ha simplificado más aún las compras de Ford y sus procedimientos de recibo. (También ha resultado remunerativo en otras formas, desde reducir los niveles de existencias hasta mejorar el flujo de caja.)

El nuevo proceso de adquisición de frenos rompe otra regla, la cual requería que la compañía mantuviera múltiples fuentes de abastecimiento. Por lo menos con respecto a frenos para camión, la nueva regla es: "Tendremos *una sola* fuente de abastecimiento y trabajaremos *muy íntimamente* con ese proveedor".

Podría preguntarse por qué el proveedor de frenos aceptó ese cambio, si ahora en la práctica está financiando el inventario de frenos de Ford. ¿Qué gana el proveedor con este nuevo arreglo?

En primer lugar, obtiene ahora todo el negocio de frenos de Ford, en lugar de sólo una parte de él. En segundo lugar, como el proveedor conoce ahora la programación computadorizada de manufactura de Ford, no tiene que depender de las predicciones poco confiables acerca de las necesidades de frenos de Ford que previamente obtenía de su propia fuerza proveedora. El proveedor de frenos puede programar mucho mejor su propia producción y reducir el tamaño de su propio inventario.

La reingeniería de aprovisionamiento en Ford ilustra otra característica de un verdadero esfuerzo de reingeniería: los cambios en esa empresa habrían sido imposibles sin la moderna *tecnología de la información*, lo cual es cierto también en cuanto al esfuerzo de reingeniería en IBM Credit. Los nuevos procesos en ambas compañías no son simplemente los viejos procesos con algunas modificaciones. Son procesos totalmente nuevos que no podrían existir sin la tecnología informática contemporánea.

Por ejemplo, en el proceso rediseñado de aprovisionamiento en Ford, el empleado del muelle no podría autorizar el pago al proveedor al recibo de los bienes si no tuviera a su disposición en línea el banco de datos de órdenes de compra. En efecto, sin dicho banco de datos, el empleado estaría tan a oscuras como antes respecto a qué bienes había pedido Ford. Su única opción al llegar los bienes habría sido, lo mismo que antes, suponer que habían sido pedidos, aceptarlos y dejarle a cuentas por pagar la tarea de conciliar el documento de recibo, la orden de compra y la factura. En teoría, compras podía haber mandado fotocopias de todos sus pedidos a todos los muelles de recibo de la compañía, y los empleados de recepción podían haber comprobado la llegada de los bienes cotejándolos con ellas, pero, por obvias razones, semejante sistema de papeleo sería impracticable. La tecnología le permitió a Ford crear un modo de operación radicalmente nuevo. Similarmente, en IBM Credit la tecnología les permite a los generalistas tener acceso a información que anteriormente sólo estaba disponible para los especialistas.

Decimos que en la reingeniería la informática actúa como *capacitador esencial*. Sin ella, el proceso no se podría rediseñar. Volveremos a este tema en el capítulo 5.

Ejemplo: Kodak

Otro ejemplo de reingeniería es el proceso de desarrollo de productos que creó Kodak en respuesta a un reto competitivo. En 1987, Fuji, archirrival de Kodak, anunció una nueva cámara fotográfica desechable, de 35 mm, de ésas que el cliente compra ya cargadas con la película, la usa una vez y luego la devuelve al fabricante, quien procesa la película y desbarata la cámara para volver a usar las piezas. Kodak no tenía nada que ofrecer para competir con ese producto, ni siquiera en preparación, y su tradicional proceso de desarrollo de productos habría tardado setenta semanas para producir un rival de la cámara Fuji. Semejante tardanza le habría dado a Fuji una ventaja inmensa en un mercado nuevo. Para reducir radicalmente el tiempo de lanzamiento al mercado, Kodak rediseñó radicalmente su proceso de desarrollo de productos.

Estos procesos suelen ser, o bien secuenciales, lo cual los hace lentos, o bien paralelos, lo que también los hace lentos, aunque por distinta razón. En un proceso de desarrollo secuencial, los grupos o individuos que trabajan en una parte del producto esperan hasta que el paso anterior se haya completado, antes de empezar el suyo propio. Por ejemplo los diseñadores del chasis de la cámara pueden hacer su trabajo primero; son seguidos por los diseñadores del obturador, luego por los diseñadores del mecanismo de avance de la película, etcétera. No es un misterio por qué este proceso es lento. En un proceso de diseño paralelo, todas las partes se diseñan simultáneamente y se integran al final, pero este método crea sus propios problemas: Habitualmente, los subsistemas no encajaban unos con otros porque, aun cuando todos los grupos trabajaban con un mismo diseño básico de la cámara, en cada paso se iban haciendo cambios, muchas veces mejoras, pero no se comunicaban a otros grupos, y cuando la cámara ya se suponía que estaba lista para entrar en producción, había que volver al principio en diseño.

El viejo proceso de desarrollo de producto en Kodak era en parte secuencial y en parte paralelo, pero totalmente lento. El diseño de la cámara se desarrollaba en paralelo, con los inconvenientes propios de ese método, y el diseño de la herramienta de manufactura se agregaba secuencialmente al final. Los ingenieros de manufactura ni siquiera empezaban su trabajo hasta veintiocho semanas después de haber empezado el suyo los diseñadores de producto.

Kodak rediseñó el proceso valiéndose novedosamente de una tecnología llamada CAD/CAM (Diseño computadorizado/ Manufactura computadorizada). Esta tecnología les permite a los ingenieros diseñar en una terminal de computador en lugar de trabajar en mesas de dibujo. El solo hecho de trabajar en una pantalla en lugar de dibujar sobre papel habría hecho a los diseñadores individualmente más productivos, pero ese uso de la tecnología sólo habría producido efectos marginales en el proceso global.

La tecnología que le permitió a Kodak rediseñar su proceso es un banco de datos integrado para diseño de productos. Cada día este banco de datos recoge el trabajo de todos los ingenieros y combina todos los esfuerzos individuales en un todo coherente. A la mañana siguiente, los grupos de diseño y los individuos examinan el banco de datos para ver si alguien en su trabajo de la víspera les creó un problema a ellos o al diseño global. Si es así, resuelven el problema *inmediatamente*, y no después de semanas o meses de trabajo perdido. Además, la tecnología les permite a los ingenieros de manufactura iniciar el diseño de sus herramientas justamente diez semanas después de haberse iniciado el proceso de desarrollo, apenas los diseñadores del producto le den alguna forma al primer prototipo.

El nuevo proceso de Kodak, llamado ingeniería concurrente, se ha usado ampliamente en las industrias aeroespacial y automotriz, y ahora está empezando a atraer adherentes en compañías de bienes de consumo. Kodak aprovechó la ingeniería concurrente para reducir casi a la mitad (a treinta y ocho semanas) el tiempo requerido para llevar la cámara de 35 mm desechable de concepto a producción. Por otra parte, como el proceso rediseñado les permite a los diseñadores de herramientas tomar parte antes de que esté terminado el diseño del producto, su experiencia se puede aprovechar para crear un diseño que sea más fácil y menos costoso de fabricar. Kodak ha reducido sus costos de herramienta y manufactura para la cámara desechable en un 25 por ciento.

En estos tres ejemplos hemos visto ilustraciones de verdadera *reingeniería de negocios,* aun cuando algunos ocurrieron antes de que inventáramos el término. Estos ejemplos ilustran los cuatro requisitos característicos de un esfuerzo de reingeniería, y corresponden a la definición de que reingeniería es la revisión *fundamental* y nuevo diseño *radical* de *procesos* para realizar mejoras *espectaculares* en medidas críticas y contemporáneas de rendimiento, tales como costos, calidad, servicio y rapidez.

Surgen en estos tres casos muchos temas, anotados a continuación, que exploraremos más a fondo en páginas posteriores:

- Orientación al proceso

Las mejoras que efectuaron IBM Credit, Ford y Kodak no se lograron atendiendo a labores estrechamente definidas ni trabajando dentro de límites organizacionales predefinidos. Cada una se logró analizando un proceso total que cruza fronteras organizacionales: otorgamiento de crédito, abastecimiento y desarrollo de producto.

- Ambición

Mejoras pequeñas no habrían sido suficientes en ninguna de estas situaciones. Todas las tres compañías buscaron avances trascendentales. Al rediseñar su proceso de cuentas por pagar, Ford, por ejemplo, abandonó una mejora del 20% y buscó la solución del 80%.

- Infracción de reglas

Todas estas compañías rompieron alguna vieja tradición al rediseñar sus procesos. Los supuestos de especialización, las secuencias ordenadas y los tiempos se abandonaron deliberadamente.

- Uso creativo de la informática

El agente que capacitó a estas compañías para romper las viejas reglas y crear nuevos modelos de proceso fue la informática moderna. Ésta obra como un capacitador que les permite a las empresas hacer el trabajo en forma radicalmente diferente.

QUÉ NO ES LA REINGENIERÍA

Las personas que sólo conocen de oídas la reingeniería y las que apenas se han enterado del concepto, suelen saltar irreflexivamente a la conclusión de que es más o menos lo mismo que otros programas de mejoras de negocios con los cuales ya están familiarizadas. "Ah, sí, ya sé", dirán algunas, "eso se llama descomplicarse". O bien piensan que es lo mismo que reestructurar o algún otro remedio comercial del mes. Nada de eso. La reingeniería tiene poco o nada en común con tales programas y se diferencia en forma significativa aun de aquéllos con los cuales tiene algunas premisas en común.

En primer lugar, a pesar del papel destacado de la informática en la reingeniería, ya debe estar bien claro que reingeniería no es lo mismo que automatización. Automatizar los procesos existentes con la informática es como pavimentar los caminos de herradura. La automatización simplemente ofrece maneras más eficientes de hacer lo que no se debe hacer.

Tampoco se debe confundir la reingeniería de negocios con la llamada reingeniería de software, que significa reconstruir sistemas obsoletos de información con tecnología más moderna. La reingeniería de software a menudo no produce otra cosa que sofisticados sistemas computadorizados que automatizan sistemas obsoletos. La reingeniería no es reestructurar ni reducir. Éstos no son más que eufemismos por reducir la capacidad para hacer frente a la demanda actual disminuida. Cuando el mercado pide menos automóviles GM, GM reduce su tamaño para acomodarse a la demanda. Pero reducirse y reestructurarse sólo significa hacer menos con menos, mientras que la reingeniería significa hacer *más* con menos.

Rediseñar una organización tampoco es lo mismo que reorganizarla, reducir el número de niveles o hacerla más plana, aunque la reingeniería sí puede producir una organización más plana. Como lo hemos sostenido en páginas anteriores, el problema que enfrentan las compañías no proviene de su estructura *organizacional* sino de la estructura de sus *procesos*. Superimponer una nueva organización sobre un proceso viejo es echar vino avinagrado en botellas nuevas.

Las compañías que muy seriamente se empeñan en acabar con las burocracias están tomando el rábano por las hojas. La burocracia no es el problema. Por el contrario, la burocracia ha sido la solución durante los últimos doscientos años. Si a usted no le gusta la burocracia en su compañía, trate de arreglarse sin ella. El resultado será un caos. La burocracia es el pegamento que sostiene unida la corporación. El problema subyacente para el cual ella ha sido y seguirá siendo la solución, es el de procesos fragmentados. La manera de eliminar la burocracia y aplanar la organización es rediseñar los procesos de manera que no estén fragmentados. Entonces la compañía se las podrá arreglar sin burocracia.

La reingeniería tampoco es lo mismo que mejora de calidad, ni gestión de calidad total ni ninguna otra manifestación del movimiento contemporáneo de calidad. Desde luego, los problemas de calidad y la reingeniería comparten ciertos temas comunes. Ambos reconocen la importancia de los procesos y ambos empiezan con las necesidades del cliente del proceso y trabajan de ahí hacia atrás. Sin embargo, los dos programas también difieren fundamentalmente. Los programas de calidad trabajan dentro del marco de los procesos existentes de una compañía y buscan mejorarlos por medio de lo que los japoneses llaman *kaizen*, o mejora incremental y continua. El objetivo es hacer lo que ya estamos haciendo, pero hacerlo mejor. La mejora de calidad busca el mejoramiento incremental del desempeño del proceso. La reingeniería, como lo hemos visto, busca avances decisivos, no mejorando los procesos existentes sino descartándolos por completo y cambiándolos por otros enteramente nuevos. La reingeniería implica, igualmente, un enfoque de gestión del cambio diferente del que necesitan los programas de calidad.

Finalmente, no podemos hacer nada mejor que volver a nuestra breve definición original de la reingeniería: empezar de nuevo. La reingeniería es volver a empezar, con una hoja de papel en blanco. Es rechazar las creencias populares y los supuestos recibidos. Es inventar nuevos enfoques de la estructura del proceso que tienen poca o ninguna semejanza con los de épocas anteriores.

Fundamentalmente, la reingeniería es hacer dar marcha atrás a la revolución industrial. La reingeniería rechaza los supuestos inherentes al paradigma industrial de Adam Smith: la división del trabajo, las economías de escala, el control jerárquico y todos los demás instrumentos de una economía en sus primeras etapas de desarrollo. La reingeniería es buscar nuevos modelos de organización. La tradición no cuenta para nada. La reingeniería es un nuevo comienzo.

CAPÍTULO 3

RECONSTRUCCIÓN DE LOS PROCESOS

Ya debe estar claro que un proceso rediseñado es muy distinto de un proceso tradicional. Pero *¿cómo es,* exactamente, un proceso rediseñado?

No podemos dar una respuesta única a esta pregunta porque los procesos rediseñados toman muy diferentes formas. Sin embargo, sí podemos decir mucho acerca de las características que los tipifican.

Al observar y tomar parte en proyectos de reingeniería en una docena de corporaciones, vimos semejanzas notables entre los diversos procesos, semejanzas que van más allá de los tipos de industria y aun de la identidad de un proceso particular. Mucho de lo que se aplica a una compañía de automóviles que ha rediseñado sus procesos se aplica igualmente a una compañía de seguros o a un minorista.

Que unos mismos temas aparezcan en diversas compañías que han emprendido la reingeniería no debe sorprender, puesto que la forma de esas compañías, lo mismo que la forma de organización industrial tradicional, se deriva de unas pocas premisas fundamentales. El modelo industrial descansa en la premisa básica de que los trabajadores tienen pocas destrezas y poco tiempo o capacidad para capacitarse. Esta premisa inevitablemente exige que los oficios y las tareas que se les asignen sean muy sencillos. Además, Adam Smith sostenía que la gente trabaja más eficientemente cuando sólo tiene que realizar una tarea fácil de entender. Sin embargo, las tareas sencillas exigen procesos complejos para integrarlas. Durante doscientos años, las compañías han aceptado los inconvenientes, las ineficiencias y los costos que traen los procesos complejos, a fin de cosechar los beneficios de las tareas simples.

En la reingeniería paramos en la cabeza el modelo industrial. Decimos que para hacer frente a las demandas contemporáneas de calidad, servicio, flexibilidad y bajo costo, los procesos deben ser sencillos. La necesidad de sencillez produce consecuencias enormes en cuanto a la manera de diseñar los procesos y de darles forma a las organizaciones.

Anotamos a continuación algunas características comunes, algunos temas recurrentes, que encontramos con frecuencia en los procesos de negocios rediseñados.

- Varios oficios se combinan en uno

La característica más común y básica de los procesos rediseñados es que desaparece el trabajo en serie. Es decir, muchos oficios o tareas que antes eran distintos se integran y comprimen en uno solo. Observamos esta característica en IBM Credit, donde varios oficios especializados como el de investigador de crédito o fijador de precios se combinaron en una sola posición, "estructurador de negociaciones". Encontramos una transformación análoga en una compañía electrónica que había rediseñado su proceso de despacho de pedidos. Anteriormente, especialistas situados en organizaciones separadas ejecutaban los cinco pasos intermedios entre la venta y la instalación del equipo de la empresa. Como este proceso implicaba tantos pases laterales, eran inevitables los errores y malentendidos — tanto más cuanto que ningún individuo o grupo por sí solo tenía la responsabilidad ni el conocimiento del proceso total. Cuando telefoneaban los clientes con sus problemas, nadie les podía ayudar.

Al rediseñar este proceso, la compañía consolidó la responsabilidad de los distintos pasos y se la asignó a una sola persona, el "representante de servicio a clientes". Esta persona ejecuta ahora todo el proceso y sirve también como único punto de contacto para el cliente. A ese individuo responsable del proceso desde el principio hasta el fin nosotros lo denominamos *trabajador de caso.*

No siempre es posible comprimir todos los pasos de un proceso largo en un solo oficio ejecutado por una sola persona. En algunas situaciones (por ejemplo entrega del producto), los diversos pasos tienen que ejecutarse en localidades distintas. En tales casos, la compañía necesita diversas personas, cada una de las cuales maneja una parte del proceso. En otros casos, puede no resultar práctico enseñarle a una sola persona todas las destrezas que necesitaría para ejecutar la totalidad del proceso.

Bell Atlantic, por ejemplo, encontró que sería demasiado pedirle a una sola persona que manejara todas las tareas que implica la instalación de circuitos digitalizados de alta velocidad para clientes. Pero, al mismo tiempo, quería acabar con los problemas que inevitablemente se presentaban cuando el pedido se pasaba de una persona a otra a través de las líneas departamentales. Para evitar los pases laterales, organizó lo que nosotros llamamos un *equipo de caso,* un grupo de personas que entre ellas reúnen todas las destrezas necesarias para atender a una solicitud de instalación.

Los miembros de este equipo ad hoc, que antes trabajaban en distintos departamentos y en diferentes localidades geográficas, fueron reunidos en una sola unidad y se les asignó la responsabilidad total de la instalación del equipo. Si bien los pases entre los mismos miembros del equipo pueden todavía crear algunos errores y demoras, son insignificantes en comparación con los problemas que causaban los pases laterales a través de las líneas organizacionales. Tal vez lo más importante es que hoy todos saben quién tiene la responsabilidad de que una solicitud se atienda rápidamente y con precisión.

Los beneficios de los procesos integrados, de los trabajadores de caso y de los equipos de caso son enormes. Eliminar pases laterales significa acabar con los errores, las demoras y las repeticiones que ellos crean. Un proceso a base de trabajadores de caso funciona *diez veces* más rápidamente que el trabajo en serie al cual reemplaza. Por ejemplo, Bell Atlantic redujo el tiempo necesario para instalar un servicio digitalizado de alta velocidad, de treinta días a tres; en algunos casos, hoy sólo tarda algunas horas. Además, como el nuevo proceso genera menos errores y malentendidos, la compañía no necesita personal adicional para encontrarlos y corregirlos.

Los procesos integrados han reducido también costos de administración indirectos. Como los empleados encargados del proceso asumen la responsabilidad de ver que los requisitos del cliente se satisfagan a tiempo y sin defectos, necesitan menos supervisión. En cambio, la compañía estimula a estos empleados para que encuentren formas innovadoras y creativas de reducir continuamente el tiempo del ciclo y los costos, y producir al mismo tiempo un producto o servicio libre de defectos. Otro beneficio es un mejor control, pues como los procesos integrados necesitan menos personas, se facilitan la asignación de responsabilidad y el seguimiento de desempeño.

- Los trabajadores toman decisiones

Las compañías que emprenden la reingeniería no sólo comprimen los procesos horizontalmente, confiando tareas múltiples y secuenciales a trabajadores de caso o a equipos de caso, sino también verticalmente. Compresión vertical significa que en aquellos puntos de un proceso en que los trabajadores tenían que acudir antes al superior jerárquico, hoy pueden tomar sus propias decisiones. En lugar de separar la toma de decisiones del trabajo real, la toma de decisiones se convierte en parte del trabajo. Los trabajadores mismos realizan hoy aquella parte del oficio que antes ejecutaban los gerentes.

Con el modelo de producción en serie, el supuesto tácito es que las personas que realmente ejecutan el trabajo no tienen ni tiempo ni inclinación a hacer seguimiento ni control y que carecen de los conocimientos necesarios para tomar decisiones. La práctica industrial de construir estructuras administrativas jerárquicas se desprende de este supuesto. Contadores, auditores y supervisores comprueban, registran y controlan el trabajo. Los gerentes supervisan a las abejas trabajadoras y atienden a las excepciones. Este supuesto y sus consecuencias tienen que ser descartados.

Entre los beneficios de comprimir el trabajo tanto vertical como horizontalmente se cuentan: Menos demoras, costos indirectos más bajos, mejor reacción de la clientela y más facultades para los trabajadores.

- Los pasos del proceso se ejecutan en orden natural

Los procesos rediseñados están libres de la tiranía de secuencias rectilíneas; se puede explotar la precedencia natural del trabajo más bien que la artificial impuesta por la linearidad. Por ejemplo, en un proceso convencional, la persona 1 tiene que completar la tarea 1 antes de pasar los resultados a la persona 2, que hace la tarea 2. Pero ¿si la tarea 2 se pudiera realizar al mismo tiempo que la tarea 1? La secuencia lineal de tareas impone una precedencia artificial que demora el trabajo.

En los procesos rediseñados, el trabajo es secuenciado en función de lo que es *necesario* hacerse antes o después. Por ejemplo, en una compañía manufacturera se requerían cinco pasos desde el recibo de un pedido hasta la instalación del equipo solicitado. El primer paso era determinar los requisitos del cliente; el segundo, traducirlos a códigos internos de producto; el tercero, remitir la información codificada a distintas plantas y bodegas; el cuarto, recibir y ensamblar los componentes; y el quinto, entregar e instalar el equipo. Una organización distinta ejecutaba cada paso.

Tradicionalmente, el grupo 1 completaba el paso 1 antes de que el grupo 2 iniciara el paso 2, pero esto no era necesario. Una empleada responsable del paso 1 pasaba la mayor parte de su tiempo recogiendo información que no se iba a necesitar hasta el paso 5. Sin embargo, debido a la secuencia lineal arbitraria impuesta al proceso, nadie podía empezar a trabajar en el paso 2 hasta que el paso 1 estuviera completo. En la versión rediseñada de este proceso, el paso 2 se inicia apenas el paso 1 recoge información suficiente para empezar. Mientras los pasos 2, 3 y 4 se están tramitando, el paso 1 sigue recogiendo la información necesaria para el paso 5. Como resultado, la compañía redujo en más del 60% el tiempo necesario para atender al pedido de un cliente.

Encontramos ya otro ejemplo libre de estricta secuencia lineal en el desarrollo de producto de Kodak. Allí el diseño de herramienta de manufactura no tiene que esperar hasta que esté terminado el diseño del producto. Apenas se hace un diseño básico de éste, los ingenieros de herramienta no sólo pueden iniciar su trabajo sino que además pueden influir en el resto del proceso de diseñar el producto.

La "deslinearización" de los procesos los acelera en dos formas. Primera: Muchas tareas se hacen simultáneamente. Segunda: Reduciendo el tiempo que transcurre entre los primeros pasos y los últimos pasos de un proceso se reduce la ventana de cambios mayores que podrían volver obsoleto el trabajo anterior o hacer el trabajo posterior incompatible con el anterior. Las organizaciones logran con ello menos repetición de trabajo, que es otra fuente de demoras.

- Los procesos tienen múltiples versiones

La cuarta característica común de la reingeniería de procesos podríamos denominarla final de la estandarización. Los procesos tradicionales tenían por objeto suministrar producción masiva para un mercado masivo. Todos los insumos se manejaban de idéntica manera, de modo que las compañías podían producir bienes o servicios exactamente uniformes. En un mundo de mercados diversos y cambiantes, esa lógica es obsoleta. Para hacer frente a las demandas del ambiente contemporáneo, necesitamos múltiples versiones de un *mismo* proceso, cada una sintonizada con los requisitos de diversos mercados, situaciones o insumos. Es más: estos nuevos procesos tienen que ofrecer las mismas economías de escala que se derivan de la producción masiva.

Los procesos con múltiples versiones o caminos suelen comenzar con un paso "triplicado" para determinar qué versión es mejor en una situación dada. El triplicado funciona en IBM Credit, que instaló tres versiones del proceso de otorgamiento de crédito: una para casos comunes y corrientes (que se ejecuta completamente por computador); otra para los casos medianamente difíciles (ejecutada por el estructurador de negociaciones); y otra para los casos difíciles (ejecutada por el estructurador de negociaciones con ayuda de consejeros especialistas).

Sabemos de un amigo que para realizar algunas mejoras de poca importancia en su casa tuvo que esperar seis meses a que se realizara una audiencia pública ante una junta municipal, que al fin estudió su solicitud y tardó apenas 20 segundos en aprobarla. Esa solicitud, ilustrada con un croquis a mano, tuvo que pasar por el mismo proceso que los proyectos de los urbanizadores que proponen la construcción de una torre de oficinas de muchos miles de millones de dólares, con gran volumen de planos, informes y hojas de especificaciones de materiales. Si el municipio hubiera rediseñado su sistema de concesión de licencias de construcción, podría haber cambiado el proceso único por dos o tal vez por tres procesos: uno para proyectos pequeños, otro para proyectos grandes y otro para proyectos de tamaño medio. El simple triplicado basado en unos parámetros preestablecidos habría tramitado la solicitud de nuestro amigo rápida y eficientemente por el camino apropiado.

Los tradicionales procesos únicos para todas las situaciones son generalmente muy complejos, pues tienen que incorporar procedimientos especiales y excepciones para tomar en cuenta una gran variedad de situaciones. En cambio, un proceso de múltiples versiones es claro y sencillo porque cada versión sólo necesita aplicarse a los casos para los cuales es apropiada. No hay casos especiales ni excepciones.

- El trabajo se realiza en el sitio razonable

Un tema recurrente en los procesos rediseñados es el desplazamiento del trabajo a través de fronteras organizacionales. En las organizaciones tradicionales, el trabajo se organiza en torno a los especialistas — y no solamente en los talleres. Los contadores saben llevar cuentas, y los empleados de compras saben hacer pedidos, de manera que cuando el departamento de contabilidad necesita lápices, el departamento de compras se los compra. Este departamento busca a los vendedores, negocia precios, coloca los pedidos, inspecciona los artículos y paga las facturas — y finalmente el departamento de contabilidad recibe sus lápices, a menos que el proveedor aprobado no los tenga, y entonces compras resuelva cambiarlos por bolígrafos.

Un proceso de este tipo es costoso, pues involucra a muchos departamentos, además de los costos indirectos de llevar la cuenta de tantos papeles y ensamblar otra vez todas las piezas del proceso. Una compañía que conocemos llevó a cabo un experimento controlado y encontró que gastaba 100 dólares en costos internos para comprar pilas eléctricas por valor de 3 dólares. Descubrió, igualmente, que el 35% de sus órdenes de compra se hacían por cantidades inferiores a 500 dólares.

La idea de gastar internamente 100 dólares para pagar 500 dólares o menos no parecía bien, así que la compañía resolvió descargar la responsabilidad de comprar bienes en los clientes del proceso; en otras palabras, los contadores — y todos los demás — ahora compran sus propios lápices. Saben a quién comprar y cuánto pagar porque compras ya negoció los precios y les dio a los contadores una lista de vendedores aprobados. Cada unidad operativa tiene una tarjeta de crédito con un límite de 500 dólares. A fines de mes, el banco que expidió la tarjeta de crédito le envía al fabricante una cinta de todas las transacciones hechas con tarjeta, cinta que la compañía coteja con su sistema general de libro mayor, de modo que los lápices se cargan al presupuesto de contabilidad.

Como resultado de este sistema, los que piden productos los reciben más rápidamente y con menos problemas, y la compañía gasta mucho menos de 100 dólares en costos de procesamiento. Este ejemplo ilustra lo que entendemos cuando decimos que el cliente de un proceso puede ejecutar parte del proceso o todo el proceso, a fin de eliminar los pases laterales y los costos indirectos.

En forma análoga, un fabricante de equipos electrónicos rediseñó su proceso de servicio en el terreno trasladando parte del servicio de reparaciones a sus clientes, quienes ahora hacen ellos mismos reparaciones sencillas sin tener que esperar a que llegue un técnico, ojalá con la pieza que se necesita. Algunas piezas de repuesto se almacenan ahora en el local de cada cliente y se administran mediante un sistema computadorizado de administración de partes. Cuando surge un problema, el cliente llama por la línea directa al departamento de servicio del fabricante y le describe los síntomas a un diagnosticador, el cual puede pedir ayuda a un computador. Si el problema es algo que el cliente puede arreglar, el diagnosticador le dice qué pieza reemplazar y cómo instalarla. Posteriormente, el fabricante recoge la pieza vieja y deja una nueva en su lugar. Técnicos de servicio hacen visitas locales sólo cuando el problema es demasiado complejo para el cliente.

Sin embargo, a veces da mejor resultado que el proveedor ejecute parte del proceso o todo el proceso, en beneficio del cliente. Por ejemplo, Navistar International ha trasladado parte de su trabajo a sus proveedores. En lugar de manejar su propio inventario del almacén de neumáticos que se van a instalar en los camiones que fabrica, le entregó dicha administración a Goodyear, que tiene más experiencia en ese ramo. Goodyear responde de que Navistar obtenga los neumáticos Goodyear, Bridgestone y Michelin que necesita y cuando los necesita. Para Navistar, este desplazamiento es la última palabra en simplificación del proceso: el fabricante ya no tiene que manejar su inventario de neumáticos. Como Goodyear — el proveedor — es mucho más hábil que Navistar — el cliente — en administración de almacenes, la cantidad de inventario en almacén ha bajado de existencias para veintidós días a existencias para cinco días.

En otras palabras, después de la reingeniería, la correspondencia entre procesos y organizaciones puede parecer muy distinta de lo que era antes. El trabajo se desplaza a través de fronteras organizacionales para mejorar el desempeño global del proceso. Gran parte del trabajo que se hace en las compañías consiste en integrar partes del trabajo relacionadas entre sí y realizadas por unidades independientes. La reubicación del trabajo a través de fronteras organizacionales, como se ve en los casos anteriores, elimina la necesidad de dicha integración.

- Se reducen las verificaciones y los controles

La clase de trabajo que no agrega valor y que se minimiza en los procesos rediseñados es el de verificación y control; o para decirlo con más precisión, los procesos rediseñados hacen uso de controles solamente hasta donde se justifican económicamente.

Los procesos convencionales están repletos de pasos de verificación y control que no agregan valor, pero se incluyen para asegurar que nadie abuse del proceso. Por ejemplo, en un sistema de compras, el departamento de compras verifica la firma de la persona que solicita un artículo para asegurarse de que esa persona esté autorizada para adquirir lo que pide, por la suma especificada, y comprueba que el presupuesto del departamento alcance para pagar la cuenta. Todo esto se encamina a ver que el personal de la compañía no compre cosas que no debe comprar.

Si bien ese objetivo puede ser laudable, muchas organizaciones no se dan cuenta de lo que cuesta un control estricto. Se consumen tiempo y trabajo en todas esas verificaciones. En realidad, se pueden gastar más tiempo y esfuerzo en verificar que en realizar la compra en sí. Peor aún, el costo de verificar puede sobrepasar al costo de los bienes que se compran.

Los procesos rediseñados muestran un enfoque más equilibrado. En lugar de verificar estrictamente el trabajo a medida que se realiza, estos procesos muchas veces tienen controles globales o diferidos. Estos sistemas están diseñados para tolerar abusos moderados o limitados, demorando el punto en que el abuso se detecta o examinando patrones colectivos en lugar de casos individuales. Sin embargo, los sistemas rediseñados de control compensan con creces cualquier posible aumento de abusos con la dramática disminución de costos y otras trabas relacionadas con el control mismo.

Considérese el proceso de compras con tarjetas de crédito que hemos descrito. En comparación con procesos más tradicionales, éste parece casi exento de controles. Los departamentos podrían utilizar las tarjetas para lanzarse a comprar desaforadamente; algunos empleados podrían huir del país con el botín de su asalto a los vendedores de útiles de oficina. Por lo menos eso temían los auditores internos de la compañía. Pero se equivocaron porque el proceso rediseñado sí tiene un punto de control. Las compras no autorizadas se detectan cuando la cinta de transacciones que manda el banco se coteja con el presupuesto del departamento y cuando el gerente departamental revisa los gastos.

Dado el límite de crédito de las tarjetas, los diseñadores consideraron preferible ese riesgo limitado de abuso para eliminar el costo indirecto relacionado con los controles tradicionales. (También debemos tener en cuenta que el viejo proceso tampoco estaba libre de abusos.)

Algunas compañías de seguros de automóvil están tomando medidas parecidas a la que acabamos de describir, en sus actividades de tramitación de indemnizaciones. Tradicionalmente, los aseguradores despachan avaluadores y liquidadores para que evalúen la cuantía de los daños y determinen cuánto deben reconocer por reparaciones. Este paso de control tiene por objeto impedir que el taller de carrocerías infle la cuenta o haga trabajo innecesario. Pero los liquidadores no son baratos, y, sin duda, demoran el proceso, con lo cual se enfadan los reclamantes — y los reclamantes enojados a menudo entablan demandas.

Por esta razón, cuando se trata de accidentes leves, algunas compañías de seguros prescinden del liquidador. Envían al reclamante a un taller aprobado y pagan por lo que haya que hacer. ¿Cómo evitan que les cobren demasiado? Revisando periódicamente las cuentas del taller, la compañía se forma una idea de su patrón de reparaciones y lo compara con los patrones y las normas de otros talleres de carrocerías. Por ejemplo, si un taller está haciendo demasiadas alineaciones de ruedas delanteras, se le manda una prevención: Si usted continúa cometiendo este abuso, lo borraremos de la lista de talleres aprobados y no le enviaremos más clientes. Las compañías aceptan la posibilidad de pequeños abusos a corto plazo porque su costo quedará más que compensado con los beneficios de un proceso agilizado de tramitación de indemnizaciones, que es menos costoso y deja a los reclamantes satisfechos.

- La conciliación se minimiza

Otra forma de trabajo que no agrega valor y que los procesos rediseñados minimizan es la conciliación. Lo logran disminuyendo el número de puntos de contacto externo que tiene un proceso, y con ello reducen las probabilidades de que se reciba información incompatible que requiere conciliación. El proceso de cuentas por pagar de Ford, descrito en el capítulo 2, ilustra este principio.

El viejo proceso de Ford contenía tres puntos de contacto con los vendedores: en el departamento de compras, mediante la orden de compra; en el muelle de recibo, con los documentos correspondientes; y en cuentas por pagar, en virtud de la factura. Tres puntos de contacto significaban enormes oportunidades de incompatibilidad; la orden de compra podía no estar de acuerdo con el documento de recibo o con la factura, y éstos podían estar en desacuerdo entre sí. Al eliminar la factura, los puntos de contacto externo se redujeron de tres a dos, y la posibilidad de desacuerdo en dos tercios. En consecuencia, todo el trabajo de cotejo y conciliación que había venido haciendo cuentas por pagar se hizo innecesario, lo cual significaba que la unidad de cuentas por pagar podía reducirse espectacularmente.

Este tema y varios otros se ilustran en la manera como Wal-Mart, trabajando con Procter & Gamble, rediseñó la administración de su inventario de Pampers. Éste es el nombre de un pañal desechable, artículo voluminoso que necesita mucho espacio de almacenamiento con relación a su valor monetario. Wal-Mart mantenía existencias de Pampers en sus centros de distribución, desde los cuales atendía a los pedidos que le hacían las tiendas. Cuando el inventario de un centro de distribución bajaba mucho, Wal-Mart le pedía más pañales a P&G.

Administrar inventarios es un delicado número de equilibrio. Si se tienen existencias muy pequeñas, los clientes se disgustan y se pierden ventas; y si son muy grandes, los costos de financiación y almacenamiento son altos. No sólo eso sino que la administración de inventarios es en sí misma una actividad costosa. Con la idea de mejorar este aspecto de su negocio, Wal-Mart abordó a P&G con la observación de que P&G probablemente sabía más de mover pañales por las bodegas que Wal-Mart porque tenía información acerca de patrones de consumo y reposición de pedidos de minoristas de todo el país. Wal-Mart sugirió, por consiguiente, que P&G asumiera la responsabilidad de decirle cuándo debía reponer sus pedidos de Pampers para su centro de distribución y en qué cantidades. Todos los días Wal-Mart le diría a P&G qué volumen de existencias salía de su centro de distribución con destino a las tiendas. Cuando P&G lo juzgara oportuno, le diría a Wal-Mart que hiciera un nuevo pedido y qué cantidad. Si la recomendación parecía razonable, Wal-Mart la aprobaría, y P&G despacharía la mercancía.

El nuevo trato funcionó tan bien que Wal-Mart sugirió que en adelante P&G prescindiera de las recomendaciones de compra y simplemente despachara los pañales que considerara que se iban a necesitar. En otras palabras, Wal-Mart descargó en su proveedor la función de reposición de existencias, ilustrando el principio de reubicación del trabajo a través de fronteras organizacionales que discutimos en páginas anteriores. Sin embargo, en este caso, las fronteras eran *entre compañías*, no *internas* de una compañía. Ambas empresas se beneficiaron.

Wal-Mart eliminó el costo de mantenimiento de su inventario de Pampers. Las existencias se manejan más eficientemente pues, sin duda, P&G sabe más de eso que Wal-Mart. Por consiguiente, el minorista tiene menos inventario a la mano y sufre menos situaciones de agotamiento de existencias. Más bajos niveles de inventario dejan espacio libre en el centro de distribución de Wal-Mart y reducen la necesidad del minorista de capital circulante para financiar ese inventario. En verdad, la administración de inventario está ahora tan refinada que la mercancía pasa por el centro de distribución de Wal-Mart y por las tiendas para ir a manos del consumidor aun antes de que Wal-Mart tenga que pagársela a P&G. Cuando paga, lo hace con dinero que ya recibió de los clientes. Sea que llamemos a este arreglo costos negativos de manejo de inventario o un rendimiento infinito del capital, es una situación maravillosa para Wal-Mart.

Cualquiera podía suministrarle pañales a Wal-Mart, pero P&G les agrega valor a los suyos al encargarse de la función de administración de inventario. Con ello se convierte en el proveedor preferido de la gran cadena minorista, y como proveedor preferido obtiene espacio adicional en los anaqueles de las tiendas de Wal-Mart y las muy solicitadas exhibiciones de final de pasillo. Con el proceso rediseñado, P&G obtiene también importantes beneficios *internos* de operación. En primer lugar, la compañía puede manejar con mayor eficiencia su operación manufacturera y su operación logística ahora que dispone de la información que necesita para proyectar mejor la demanda del producto. El inventario ya no pasa a Wal-Mart irregularmente y en grandes lotes sino en forma continua y en lotes pequeños. Otras combinaciones fabricante-minorista, como las de Levi Strauss con muchos de sus clientes, emplean también este método, conocido como "reposición continua".

El segundo beneficio que obtiene P&G con su nuevo convenio con Wal-Mart guarda relación con la idea de minimizar los puntos de contacto externo — en este caso, en su proceso de cuentas por cobrar. La función convencional de cuentas por cobrar es conciliar los pagos que hacen los clientes con sus pedidos y también con las facturas que se les han enviado. En principio, debieran estar de acuerdo, pero la realidad no siempre se ajusta al principio. Y cuando no coinciden (por ejemplo, cuando los precios han cambiado recientemente) estos conflictos se hunden en el agujero negro de la conciliación, donde consumen enorme energía y perjudican las buenas relaciones vendedor-cliente. Pero ahora P&G sólo tiene dos contactos de cuentas por cobrar con Wal-Mart, la factura y el pago. Wal-Mart ya no produce el pedido original; esto lo hace P&G. En esta forma se reducen enormemente los errores y la necesidad de conciliación.

- Un gerente de caso ofrece un solo punto de contacto

El empleo de una persona que podríamos llamar "gerente de caso" es otra característica recurrente que encontramos en los procesos rediseñados. Este mecanismo resulta útil cuando los pasos del proceso son tan complejos o están tan dispersos que es imposible integrarlos en una sola persona o incluso en un pequeño grupo. Actuando como amortiguador entre el complejo problema y el cliente, el gerente de caso se comporta ante el cliente como si fuera responsable de la ejecución de todo el proceso, aun cuando en realidad no lo es.

Para desempeñar este papel — es decir, para poder contestar las preguntas del cliente y resolverle sus problemas — este gerente necesita acceso a todos los sistemas de información que utilizan las personas que realmente ejecutan el trabajo, y la capacidad de ponerse en contacto con ellas, hacerles preguntas y pedirles ayuda adicional cuando sea necesario.

A veces les decimos "facultados" a estos gerentes representantes de servicio a clientes (RSC), para distinguirlos de los tradicionales RSC que suelen ser personas de escasa información y menos autoridad. Los RSC facultados sí pueden hacer que las cosas se hagan. En Duke Power Company, una gran empresa de servicios públicos de Raleigh, Carolina del Norte, gerentes de caso les presentan a los clientes la útil ficción de un proceso integrado de servicio al cliente atendiendo a sus problemas y protegiéndolos de las verdaderas complejidades del proceso.

- Prevalecen operaciones híbridas centralizadas-descentralizadas

Las compañías que han rediseñado sus procesos tienen la capacidad de combinar las ventajas de la centralización con las ventajas de la descentralización en un mismo proceso. Veremos este tema en Hewlett-Packard en el capítulo 5, donde un sistema de compras común y corriente y una base de datos compartida le permiten a la compañía combinar lo mejor de ambos sistemas.

La informática les permite a las empresas funcionar como si sus distintas unidades fueran completamente autónomas, y, al mismo tiempo, la organización disfruta de las economías de escala que crea la centralización. Por ejemplo, armar a los vendedores de computadores portátiles conectados por modems inalámbricos con la oficina central o con la sede corporativa, les da a estos trabajadores acceso instantáneo a la información que se guarda allí. Al mismo tiempo, controles incorporados en la programación electrónica que ellos utilizan para redactar contratos de compraventa evitan que los vendedores coticen precios irrazonables o especifiquen entrega u otras condiciones que la organización no puede cumplir. Con esta tecnología, las compañías pueden rediseñar el proceso de ventas de modo que se elimine la maquinaria burocrática de las oficinas regionales, se aumenten la autonomía y las facultades de los vendedores, y al mismo tiempo se refuerce el control que la empresa tiene sobre precios y condiciones de venta.

Muchos bancos han establecido divisiones distintas para venderles diversos productos a los mismos clientes, por ejemplo a grandes corporaciones. Una división vende líneas tradicionales de crédito; otra, financiación basada en activos; una tercera, cartas de crédito; y una cuarta, servicios de administración de fondos de pensiones. Esta estructura descentralizada asegura que cada división se concentre en los productos y servicios en que tiene más experiencia, y simultáneamente fomenta real autonomía empresarial. Pero también garantiza el caos.

En esta estructura fraccionada todo el mundo ve trozos estrechos del mercado pero nadie ve al cliente globalmente, de manera que se pueden perder de vista importantes cuestiones agregadas. Por ejemplo, un banco había fijado un límite de crédito de 20 millones de dólares para cierto cliente, y les dio instrucciones a sus diversas unidades autónomas para que se ciñeran a ese límite. Todas obedecieron, otorgando cada una el máximo de 20 millones. Por consiguiente, el riesgo a que quedó expuesto el banco con ese cliente fue muchas veces mayor, y la administración no se dio cuenta de la verdadera situación hasta que el cliente quebró. Para evitar problemas de este tipo, varios bancos tienen ahora bases centrales de datos sobre los clientes, que comparten todas las unidades operativas. Cada unidad introduce en la base de datos lo que sabe del cliente y sus relaciones con él, y todas utilizan la base de datos como fuente de información sobre el cliente. En esta forma, unidades con libertad de actuar independientemente pueden coordinar sus actividades sin la intervención burocrática de un punto central de control.

El objeto de presentar los ejemplos anteriores y señalar las características que encontramos repetidas en los negocios rediseñados, no es indicar que todos estos procesos son iguales, ni que la reingeniería de procesos es una cosa sencilla. Nada podría estar más lejos de la verdad. No todos los procesos rediseñados muestran todas las características que hemos mencionado, ni podrían mostrarlas puesto que muchas están en conflicto. Para crear un nuevo diseño se necesitan penetración, creatividad y discernimiento. Estos ingredientes son necesarios también para rediseñar los oficios y las organizaciones que sustentan los procesos. A ese tema volveremos ahora nuestra atención.

CAPÍTULO 4

EL NUEVO MUNDO DEL TRABAJO

Hemos insistido repetidas veces en que la reingeniería implica el rediseño radical de los procesos de negocios. Pero si bien se empieza por rediseñar los procesos, no se termina allí. Los cambios fundamentales en los procesos de negocios producen consecuencias en muchos otros aspectos de una organización; en realidad, en toda ella.

Cuando se rediseña un proceso, oficios que eran estrechos y orientados a una tarea pasan a ser multidimensionales. Individuos que antes hacían lo que se les ordenaba toman ahora decisiones por sí mismos. El trabajo en serie desaparece. Los departamentos funcionales pierden su razón de ser. Los gerentes dejan de actuar como supervisores y se comportan más bien como entrenadores. Los trabajadores piensan más en las necesidades de los clientes y menos en las de sus jefes. Actitudes y valores cambian en respuesta a nuevos incentivos. Casi todos los aspectos de la organización se transforman, a menudo tanto que no se reconocerían.

Examinemos más detenidamente el tipo de cambios que ocurren cuando una compañía rediseña sus procesos:

- Cambian las unidades de trabajo: de departamentos funcionales a equipos de proceso.

Lo que hacen realmente las compañías que rediseñan es volver a juntar el trabajo que Adam Smith y Henry Ford dividieron en diminutas fracciones hace tantos años. Una vez reestructurado, los equipos de proceso — grupos de personas que trabajan juntas para realizar un proceso total — resultan ser la manera lógica de organizar al personal que realiza el trabajo. Los equipos de proceso no incluyen *representantes* de todos los departamentos funcionales interesados, sino que *reemplazan* la antigua estructura departamental. Si bien hay diversas clases de equipos de proceso, nosotros nos referimos a algo muy particular cuando usamos el término "equipo".

Piénsese en el paso de un pedido a través de una organización (o en una idea para un nuevo producto o en una reclamación de seguro). Todos estos casos los manejan distintas personas, pero esas personas no están integradas organizacionalmente. Están dispersas por toda la compañía en silos funcionales: diferentes departamentos, grupos, divisiones, etcétera. Este fraccionamiento crea muchos problemas, pero en particular fomenta metas incongruentes entre las distintas personas que intervienen. A una tal vez la preocupa la rotación de inventario mientras que otra se concentra en el tiempo de entrega.

Un método alterno es tomar a las mismas personas que hoy manejan el pedido, o el nuevo producto, o la reclamación, pero en lugar de separarlas en departamentos, reunirlas en un equipo. No modificamos necesariamente lo que hacen, pero disponemos las cosas para que lo hagan conjuntamente y no por separado, y en distintos puntos de la compañía. En cierto modo, sólo estamos volviendo a reunir a un grupo de trabajadores que habían sido separados artificialmente por la organización. Cuando se vuelven a juntar, los llamamos equipo de proceso. En otros términos, un equipo de proceso es una unidad que se reúne naturalmente para completar todo un trabajo — un proceso.

Estos equipos son de muchas clases, y el que conviene en cada caso depende de la naturaleza del trabajo que haya que hacer. A uno lo llamamos equipo de casos. En él, como lo vimos en el de Bell Atlantic, en el capítulo anterior, cierto número de personas con diferentes habilidades trabajan juntas para realizar un trabajo de rutina, recurrente, como es, por ejemplo, tramitar una reclamación de seguro o conectar a un cliente de la empresa telefónica con un sistema de larga distancia. En el pasado, cuando un cliente de Bell Atlantic solicitaba conexión entre su sistema telefónico y un proveedor de servicios de información a larga distancia, la solicitud pasaba de departamento en departamento, y tardaba de dos semanas a un mes en completar su recorrido. Al rediseñar ese proceso, Bell Atlantic tomó personas de diferentes departamentos funcionales y las reunió en equipos de proceso, que ahora atienden a la mayoría de las solicitudes de los clientes en cuestión de días, e incluso de horas, en lugar de semanas. Como los equipos de caso realizan trabajo de repetición — esto es, tramitan solicitudes parecidas todos los días —, los miembros del equipo generalmente permanecen agrupados en forma permanente. (Examinaremos más minuciosamente el ejemplo de Bell Atlantic en el capítulo 13.)

Equipos de proceso de otro tipo tienen una vida más corta porque sólo están reunidos el tiempo necesario para realizar una tarea episódica particular. Los llamamos equipos ad hoc. Por ejemplo, el proceso de diseñar productos nuevos de Kodak necesita muchos individuos con diferentes conocimientos — diseñadores de obturador, especialistas en lentes, expertos en manufactura, y otros — para que trabajen juntos en un proyecto de diseño para una nueva cámara. Pero una vez que la cámara se diseña y entra en producción, el proyecto termina, el equipo se disuelve y sus miembros pasan a otros proyectos y otros equipos. Un individuo puede ser simultáneamente miembro de más de un equipo ad hoc y compartir su tiempo entre diversos proyectos.

IBM Credit (a la cual nos referimos en el capítulo 2) usa un tercer tipo de equipo de procesos. Es como un equipo de casos, pero consta de sólo una persona. Antes de rediseñar, cuando IBM Credit preparaba un paquete de financiación para un cliente en perspectiva, la verificación de crédito se hacía en el departamento de crédito, el precio lo fijaba el departamento de precios, otras condiciones las ponía el departamento de prácticas comerciales, y la oferta final la armaba alguna persona del departamento de preparación de cotizaciones. Los empleados de estos departamentos se pasaban el trabajo unos a otros, con los habituales errores y demoras. Pero cuando la compañía rediseñó su proceso de estructurar negociaciones, integró esas cuatro funciones cambiando los cuatro departamentos por uno solo. Muchos de los empleados — llamados estructuradores de negociaciones — que constituyeron esta nueva unidad son los mismos que antes eran especialistas.

IBM Credit fue más allá de sólo agrupar a cuatro especialistas en un equipo de proceso. Ahora cada individuo puede conducir toda una negociación desde el principio hasta el fin del proceso. IBM se dio cuenta de que una persona entrenada y con acceso a información en línea podía manejar el 90%, o más, del trabajo que antes se pasaban entre sí los especialistas. Unos pocos especialistas asignados para asistir a los estructuradores les ayudan a manejar el resto. En IBM Credit, el equipo de proceso es un equipo de una sola persona — lo que antes denominamos un trabajador de caso.

- Los oficios cambian: de tareas simples a trabajo multidimensional

Las personas que trabajan en equipos de proceso encontrarán su trabajo muy distinto de los oficios a que estaban acostumbradas. El trabajo en serie, sea de oficina o de taller, es muy especializado; es la repetición de la misma tarea. Puede exigir cierto entrenamiento en un oficio como insertar determinado componente en determinado tablero de circuito impreso; hasta puede requerir un alto nivel de educación — un grado universitario en ingeniería mecánica, por ejemplo, para diseñar obturadores de cámara fotográfica. Pero cuando están realizando trabajo de tareas, ni el trabajador de línea de montaje ni el ingeniero mecánico necesitan ni les importa conocer todo el proceso, digamos, de construir un computador o desarrollar el diseño de toda una cámara.

Los trabajadores de equipos de proceso que son responsables colectivamente de los resultados del proceso, más bien que individualmente responsables de una tarea, tienen un oficio distinto. Comparten con sus colegas de equipo la responsabilidad conjunta del rendimiento del proceso total, no sólo de una pequeña parte de él. No solamente ponen en juego día tras día una gama más amplia de destrezas sino que tienen que pensar en un cuadro más amplio. Aunque no todos los miembros del equipo realizan exactamente el mismo trabajo (al fin y al cabo, todos tienen distintas habilidades y capacidades), la línea divisoria entre ellos se desdibuja. Todos los miembros del equipo tienen por lo menos algún conocimiento básico de todos los pasos del proceso, y probablemente realizan varios de ellos. Además, todo lo que hace el individuo lleva el sello de una apreciación del proceso en forma global.

Un ejemplo claro de cómo cambian los oficios después de la reingeniería lo ofrece IBM Credit. Los antiguos oficios los hacían especialistas que ejecutaban una sola tarea. Los nuevos estructuradores de negociaciones realizan muchas tareas. Son generalistas. Su trabajo es multidimensional.

¿Qué sucedió en Kodak cuando la compañía rediseñó su proceso de diseño de producto? Un diseñador de lentes que antes se concentraba estricta y estrechamente en diseñar lentes, ahora los diseña dentro del contexto de la cámara como un todo, lo cual significa que contribuye inevitablemente a otros aspectos del diseño de la cámara, y que su propio diseño sufrirá la influencia de lo que otros tienen que decir. Ya no opera estrictamente dentro de los límites de un solo diseñador. El oficio se ha vuelto multidimensional.

A veces la reingeniería de procesos cambia las fronteras entre distintas clases de trabajo. Por ejemplo, en una compañía los ingenieros que antes preparaban información que otras personas debían utilizar para producir folletos de marketing ahora producen ellos mismos esos folletos; saben más acerca del producto que la gente de marketing, y están en capacidad de utilizar ellos mismos el equipo editorial de escritorio. Los de marketing actúan ahora como asesores de los ingenieros. El trabajo se amplió para ambos grupos — para los ingenieros y para los de marketing.

Cuando el trabajo se vuelve más multidimensional, también se vuelve más sustantivo. La reingeniería no sólo elimina el desperdicio sino también el trabajo que no agrega valor. La mayor parte de la verificación, la espera, la conciliación, el control y el seguimiento — trabajo improductivo que existe por causa de las fronteras que hay dentro de una organización y para compensar la fragmentación del proceso — se eliminan con la reingeniería, lo cual significa que la gente destinará más tiempo a hacer trabajo *real.*

Después de la reingeniería, el trabajo se hace más satisfactorio porque los trabajadores tienen una mayor sensación de terminación, cierre y realización. Han hecho realmente todo un oficio — un proceso o un subproceso — que por definición produce un resultado importante para alguien. Estos trabajadores comparten los retos y las recompensas del empresario. Están orientados al cliente, cuya satisfacción es su meta. No están simplemente tratando de tener contento al jefe ni de trabajar a través de la burocracia.

Además, el trabajo se hace más remunerador porque los oficios adquieren un mayor componente de desarrollo personal y aprendizaje. En un ambiente de equipo de proceso, el desarrollo personal no significa escalar la jerarquía sino ampliar uno sus horizontes, aprender más, de modo que puede abarcar una mayor parte del proceso. Después de la reingeniería no hay eso de "dominar" un oficio; el oficio crece a medida que crecen la pericia y la experiencia del trabajador.

Por otra parte, como los trabajadores en procesos rediseñados destinan más tiempo a trabajo que agrega valor y menos tiempo a trabajo que no agrega ningún valor, su aporte a la compañía aumenta, y, en consecuencia, estos oficios en un ambiente rediseñado generalmente son mejor remunerados.

Sin embargo, hay otro aspecto del fenómeno que es preciso tener en cuenta: Si los oficios son más satisfactorios, también son más exigentes y difíciles. Gran parte del viejo trabajo de rutina se elimina o se automatiza. Si el viejo modelo era: Tareas sencillas para gente sencilla, el nuevo es: Oficios complejos para gente capacitada, lo cual eleva la barrera para entrar en la fuerza laboral. En un ambiente rediseñado quedan muy pocos oficios sencillos, de rutina, no calificados.

- El papel del trabajador cambia: de controlado a facultado

Una compañía tradicional orientada a las tareas contrata personal y espera que éste siga las reglas. Las compañías que se han rediseñado no buscan empleados que sigan reglas; quieren gente que haga sus propias reglas. Cuando la administración confía a los equipos la responsabilidad de completar un proceso total, necesariamente tiene que otorgarles también la autoridad para tomar las medidas conducentes.

La anécdota siguiente ilustra la naturaleza y los beneficios de tener autoridad: Un huésped de un hotel se acercó al portero y se quejó de que le habían robado su detector de radar del automóvil, en el garaje del hotel. El portero, facultado para servir a los clientes, le preguntó cuánto le había costado, lo llevó al mostrador de recepción y le ordenó al empleado: "Entréguele a este caballero 150 dólares". Todo el mundo se quedó con la boca abierta, y el cliente muy satisfecho. Dos semanas después, el gerente general recibió una carta de ese cliente, en que le explicaba que había encontrado su detector de radar en el baúl del automóvil. Acompañaba un cheque por valor de 150 dólares. La postdata de la carta decía: "Nunca en mi vida volveré a hospedarme en un hotel que no sea de la cadena de ustedes".

Los que trabajan en un proceso rediseñado son necesariamente personas facultadas. A los trabajadores de equipos de proceso se les permite, y se les exige, que piensen, se comuniquen y obren con su propio criterio y tomen decisiones. En IBM Credit y en Kodak, no hay lugar para gerentes y supervisores entrometidos. Imaginémonos el caso de un estructurador de negociaciones de IBM Credit que está tratando de manejar varios casos distintos en diversas etapas del proceso y quiere sacar adelante el mayor número y lo más pronto posible. Si se le presentara un supervisor para verificar su progreso, el trabajo real se pararía mientras el estructurador pasaba a complacer al supervisor en lugar de complacer al cliente. En Kodak ¿cuándo podría el jefe del departamento de lentes "aprobar" el diseño de un lente? Este diseño no es definitivo mientras no esté terminado el diseño de la cámara. La aprobación por un supervisor lo único que haría sería demorar todo el proceso.

Los equipos, sean de una persona o de varias, que realizan trabajo orientado al proceso, tienen que dirigirse a sí mismos. Dentro de los límites de sus obligaciones para con la organización — fechas límites ya convenidas, metas de productividad, normas de calidad, etc. — deciden cómo y cuándo se ha de hacer el trabajo. Si tienen que esperar la dirección de un supervisor de sus tareas, entonces no son equipos de proceso.

La autoridad del empleado es una consecuencia inevitable de los procesos rediseñados; los procesos no se pueden rediseñar sin facultar a los trabajadores. Por consiguiente, las compañías que rediseñan tienen que considerar criterios adicionales cuando contratan. Ya no basta examinar únicamente la educación de los que solicitan empleo, su capacitación y sus habilidades; también entra en juego su *carácter*. ¿Tienen iniciativas? ¿Tienen autodisciplina? ¿Están motivados para hacer lo que complace a un cliente?

La reingeniería y la consiguiente autoridad producen consecuencias muy importantes en cuanto a la clase de personas que las compañías van a contratar.

• La preparación para el oficio cambia: de entrenamiento a educación

Si los oficios en procesos rediseñados no requieren que el trabajador siga reglas sino que ejercite su propio criterio a fin de hacer lo que debe hacer, entonces los empleados necesitan suficiente educación para discernir qué es lo que deben hacer. Las compañías tradicionales hacen hincapié en *entrenar* a los empleados, es decir, enseñarles a realizar determinado oficio o a manejar una situación específica. En las que se han rediseñado, el énfasis se traslada de entrenar a *educar*, o a contratar personal que tenga una buena educación. El entrenamiento aumenta las destrezas y la competencia y les enseña a los empleados el "cómo" de un oficio; la educación aumenta su perspicacia y la comprensión y les enseña el "porqué".

Hill's Pet Products, subsidiaria de Colgate-Palmolive, construyó hace poco una nueva planta en Richmond, Indiana, y allí la compañía ha puesto en práctica muchos de los principios de procesos rediseñados. La administración sabía qué clase de personas necesitaba para trabajar en la fábrica, y quería contratar a 150. Se recibieron millares de solicitudes, y el departamento de personal examinó cuidadosamente 3 000. Cuando se seleccionaron los finalistas, casi todos tenían una característica en común: les faltaba experiencia en trabajo de fábrica. En su mayoría, los solicitantes más deseables para la compañía resultaron ser antiguos maestros de escuela, policías y otros que tenían el carácter adecuado y la educación adecuada, aun cuando no poseyeran destrezas fabriles. Esta obvia deficiencia no era un problema grave. La compañía pudo entrenar fácilmente a sus nuevos empleados porque eran personas que ya sabían aprender.

Para oficios multidimensionales y cambiantes, las compañías no necesitan personas para llenar un puesto porque el puesto está sólo vagamente definido. Necesitan gente que entienda en qué consiste el oficio y sea capaz de realizarlo, gente capaz de crear el empleo que se le acomode. Además, el empleo seguirá cambiando. En un ambiente de cambio y flexibilidad, es claramente imposible contratar personas que ya sepan absolutamente todo lo que van a necesitar saber, de modo que la educación continua durante toda la vida del oficio pasa a ser la norma en una compañía rediseñada.

- El enfoque de medidas de desempeño y compensación se desplaza: de actividad a resultados

La remuneración de los trabajadores en las compañías tradicionales es relativamente sencilla: se les paga a las personas por su tiempo. En una operación tradicional — trátese de una línea de montaje con máquinas de manufactura o de una oficina donde se tramitan papeles —, el trabajo de un empleado individual no tiene valor cuantificable. ¿Cuál es, por ejemplo, el valor monetario de una soldadura? ¿O de los datos verificados de empleo en una solicitud de seguro? Ninguna de estas cosas tiene valor por sí misma. Sólo el automóvil terminado o la póliza de seguro expedida tienen valor para la compañía. Cuando el trabajo se fragmenta en tareas simples, las compañías no tienen más remedio que medir a los trabajadores por la eficiencia con que desempeñan trabajo estrechamente definido. Lo malo es que esa eficiencia aumentada de tareas estrechamente definidas no se traduce necesariamente en mejor desempeño del proceso.

Por contraste, al estructurador de negociaciones de IBM Credit no se le mide por el número de hojas de papel que maneja sino por el número y la rentabilidad de los negocios terminados y por su calidad, tal como se refleja en encuestas de satisfacción de los clientes. Cuando los empleados realizan trabajo de proceso, las compañías pueden medir su desempeño y pagarles a base del valor que crean. Ése es un valor mensurable porque en procesos rediseñados los equipos crean productos o servicios que tienen un valor intrínseco. Una cámara nueva, por ejemplo, tiene valor; un mecanismo de obturador no lo tiene.

La reingeniería obliga también a las compañías a reconsiderar algunos supuestos básicos relativos a remuneraciones. Por ejemplo, el desempeño de un empleado este año en un oficio rediseñado no garantiza nada acerca de su desempeño en años por venir. Por esa razón los salarios básicos en compañías con procesos rediseñados tienden a permanecer relativamente estables después de reajustes por inflación. Las recompensas importantes por rendimiento toman la forma de bonificaciones, no alzas de sueldo.

Otros supuestos sobre remuneraciones también desaparecen con la reingeniería: pagarles a los empleados sobre la base del rango o la antigüedad; pagarles sólo por presentarse; y hacerles alzas de sueldo simplemente porque ha transcurrido otro año.

La paga con base en la posición de una persona en la organización — cuanto más alta más dinero gana — es incompatible con los principios de la reingeniería. Los programas tradicionales de puntos, en que la magnitud del sueldo de un empleado está en función del número de subalternos que tenga y del tamaño de su presupuesto, tampoco tiene cabida en un ambiente orientado al proceso. Las jerarquías estrictamente graduadas con muchísimas posiciones — analista 1, analista 2, analista superior, etc. —, cada una con una banda angosta de remuneración, tienen que ser descartadas.

En las compañías que se han rediseñado, la contribución y el rendimiento son las bases principales de la remuneración. Existen precedentes de este enfoque: aun en las compañías tradicionales, el vicepresidente de ventas rara vez es la persona mejor pagada en la organización de ventas. Este honor generalmente pertenece al vendedor más productivo. En Wall Street, el presidente de la junta directiva de un banco de inversión no es el individuo mejor remunerado; más bien suele serlo el negociador estrella de bonos o el negociador de monedas.

En las compañías rediseñadas, el rendimiento se mide por el valor creado, y la compensación debe fijarse de acuerdo con ello.

- Cambian los criterios de ascenso: de rendimiento a habilidad

Una bonificación es la recompensa adecuada por un trabajo bien hecho. El ascenso a un nuevo empleo no lo es. Al rediseñar, la distinción entre ascenso y desempeño se traza firmemente. El ascenso a un nuevo puesto dentro de la organización es una función de habilidad, no de desempeño. Es un cambio, no una recompensa.

Progressive Insurance considera que esta distinción es lo suficientemente importante como para observar en el informe anual de la compañía: "Uno de nuestros principios básicos es que pagamos por desempeño y promovemos por habilidad". Pensándolo bien, el principio parece obvio, pero rara vez se sigue. Si Isabel es una buena química, según el criterio general será también una buena gerente de químicos. Pero esto no es necesariamente cierto, y la "promoción" de Isabel podría darle a la compañía una mala gerente al costo de una buena química.

La aseguradora Direct Response Group de Capital Holding hace la distinción entre desempeño y ascenso muy clara para sus empleados. "Hemos separado la revisión de resultados — en la cual recompensamos a la gente con un pago — de la revisión del desarrollo personal", dice Pamela Godwin, vicepresidenta principal de la compañía. "En esta forma, hasta hemos logrado que personas que han obtenido resultados notables reconozcan que necesitan más preparación y más desarrollo. Al separar las dos evaluaciones, contribuimos a dejar claras las diferencias en la mente de los empleados".

- Los valores cambian: de proteccionistas a productivos

La reingeniería conlleva un cambio tan grande en la cultura de una organización como en su configuración estructural. Exige que los empleados crean profundamente que trabajan para sus clientes, no para sus jefes. Esto lo creerán sólo en el grado en que lo refuercen las prácticas de recompensas de la compañía. Por ejemplo, Xerox Corporation no se contenta con decirles a sus empleados que los clientes son los que pagan sus sueldos, sino que hace la conexión explícita. Hoy la compañía basa una porción importante de la bonificación de los gerentes en una medida de la satisfacción del cliente. Cuando las bonificaciones dependían únicamente de lo bien que cada departamento se comportaba, los gerentes continuamente disputaban unos con otros por fallas, jurisdicción y recursos. Hoy las discusiones internas han desaparecido casi por completo al desplazar los gerentes su foco a maximizar la satisfacción de la clientela.

Los sistemas administrativos de una organización — las formas en que se paga a la gente, las medidas por las cuales se evalúa su desempeño, etc. — son los principales formadores de los valores y las creencias de los empleados.

Infortunadamente, muchos gerentes todavía creen que todo lo que tienen que hacer para formar los sistemas de creencias de sus empleados es exponer algunos valores que suenen muy bien y luego hacer discursos sobre ellos. Limitarse a formular una declaración corporativa de valores es inútil, y no es más que otro ejercicio de moda. Sin sistemas de apoyo las declaraciones de valores son colecciones de perogrulladas vacías que sólo aumentan el escepticismo organizacional. Para que valga el papel en que se imprime, una declaración de valores tiene que ser reforzada por los sistemas administrativos de la compañía. La declaración expone valores; los sistemas administrativos les dan vida y realidad dentro de la compañía.

Y, desde luego, la alta administración tiene que vivir ella misma esos valores. Si un ejecutivo dice que es importante atender a los clientes y pasa una hora a la semana en el teléfono hablando con clientes, el valor de ese tiempo para éstos puede ser poco, pero su valor para la organización es inmenso. La hora es un símbolo y una demostración del compromiso personal de la administración con los valores que espera que todos adopten.

Los valores culturales que se encuentran en algunas compañías tradicionales son subproductos de sistemas administrativos fragmentados que se concentran en el desempeño, hacen hincapié en el control y ensalzan la jerarquía. Diga lo que diga la declaración de principios de tal compañía, su sistema administrativo en realidad fomenta valores más o menos como éstos:

— Mi jefe paga mi sueldo: a pesar de todo lo que digan sobre los clientes, el objetivo real es tener contento al jefe.

— Yo no soy más que un piñón del engranaje: mi mejor estrategia es no levantar la cabeza y no hacer olas.
— Cuantos más dependientes directos tenga yo, más importante soy: el que tiene el departamento más grande es el que gana.
— Mañana será lo mismo que hoy: siempre ha sido así.

Lo malo es que estos valores y creencias no promueven el desempeño que requieren las organizaciones orientadas al cliente. Son incompatibles con los nuevos procesos creados en un ambiente rediseñado; y a menos que los valores cambien, los nuevos procesos, por bien diseñados que sean, nunca funcionarán. Cambiar los valores es parte tan importante de la reingeniería como cambiar los procesos.

En una compañía que se haya rediseñado, los empleados deben tener creencias como las siguientes:

— Los clientes pagan nuestros salarios: debo hacer lo que se necesite para complacerlos.
— Todo oficio en esta compañía es esencial: el mío es muy importante.
— Presentarse al trabajo no es una realización: a mí me pagan por el valor que creo.
— La responsabilidad es mía: debo aceptar la propiedad de los problemas y resolverlos.
— Yo pertenezco a un equipo: o fracasamos o nos salvamos juntos.
— Nadie sabe lo que nos reserva el mañana: el aprendizaje constante es parte de mi oficio.

- Los gerentes cambian: de supervisores a entrenadores

Cuando una compañía se rediseña, procesos que eran complejos se vuelven simples, pero oficios que eran simples se vuelven complejos. Por ejemplo, el *proceso* de armar una negociación en IBM Credit ha pasado de necesitar cuatro o cinco personas distintas a neccsitar una sola: un estructurador lo hace todo. Por consiguiente, los gerentes tienen que destinar ahora menos tiempo a mantener moviéndose las hojas de papel a través de los departamentos y más tiempo a ayudar a los empleados a realizar un trabajo más valioso y más exigente.

Equipos de proceso, sea que consten de una sola persona o de muchas, no necesitan jefes: necesitan *entrenadores*. Los equipos les piden asesoría a los entrenadores. Éstos pueden ayudarles a resolver los problemas. No están ellos *en* la acción pero sí suficientemente cerca para asistir al equipo en su trabajo.

Los jefes tradicionales diseñan el trabajo y lo asignan. Los equipos hacen esto por sí mismos. Los jefes tradicionales supervisan, controlan y verifican el trabajo a medida que pasa de un realizador de tarea al siguiente. Los equipos hacen eso ellos mismos. Los jefes tradicionales tienen poco que hacer en un ambiente rediseñado. Los gerentes tienen que pasar de sus papeles de revisoría a actuar como facilitadores, como capacitadores y como personas cuyo deber es el desarrollo del personal y de sus habilidades, de manera que esas personas sean capaces de realizar ellas mismas procesos que agregan valor.

Este tipo de gerencia es una verdadera profesión. La práctica tradicional subestima tanto el trabajo como la administración. Subestima el trabajo al sostener que la única forma en que un trabajador puede avanzar es convirtiéndose en gerente. Esto implica que administrar es más importante que trabajar. Pero la práctica tradicional dice también que cualquiera que sobresalga como trabajador puede administrar.

La verdad es que administrar es una habilidad particular, lo mismo que la ingeniería o las ventas, y hay poca correlación entre sobresalir en el trabajo y ser un buen administrador. Casey Stengel era un regular jugador de béisbol pero fue un gran gerente. La mayoría de los grandes jugadores han sido pésimos gerentes.

Los gerentes en una compañía rediseñada necesitan fuertes destrezas interpersonales y tienen que enorgullecerse de las realizaciones de otros. Un gerente así es un asesor que está donde está para suministrar recursos, contestar preguntas y ver por el desarrollo profesional del individuo a largo plazo. Éste es un papel distinto del que han desempeñado tradicionalmente la mayoría de los gerentes.

- Las estructuras organizacionales cambian: de jerárquicas a planas

Cuando todo un proceso se convierte en el trabajo de un equipo, la administración del proceso se convierte en parte del oficio del equipo. Decisiones y cuestiones interdepartamentales que antes requerían juntas de gerentes y gerentes de gerentes, ahora las toman y las resuelven los equipos en el curso de su trabajo normal. Transferir las decisiones relativas al trabajo a las mismas personas que hacen el trabajo significa que las funciones tradicionales del gerente han disminuido. Las compañías ya no necesitan tanto "pegamento" gerencial como necesitaban antes para mantener unido el trabajo. Después de la reingeniería ya no se necesita tanta gente para volver a reunir procesos fragmentados. Con menos gerentes hay menos niveles administrativos.

En la compañía tradicional, la estructura organizacional es una cuestión importante a la cual se dedican enormes cantidades de energía. ¿Por qué? Porque es el mecanismo por el cual se resuelven muchas cuestiones y se contestan muchos interrogantes.

Recuérdese que la unidad básica de la organización tradicional es el departamento funcional: un grupo de personas que realizan tareas similares. La organización global se compone de estos departamentos ordenados en distintas formas. El orden varía mucho entre las compañías. En las llamadas funcionales, todos los departamentos funcionalmente relacionados entre sí se combinan en una sola división funcional: todos los departamentos de ventas se reúnen en una división de ventas. En una estructura basada en unidades estratégicas, los departamentos funcionales se agrupan por mercados, de modo que una compañía podría tener una división institucional, o una división para la costa del Pacífico, etc.

Gran cantidad de energía se destina a estas organizaciones porque su forma determina muchas cosas, desde cómo se organiza el trabajo de la compañía hasta los mecanismos de ejercer control y el seguimiento del desempeño. La estructura organizacional establece las líneas de comunicación dentro de la empresa y determina la jerarquía de toma de decisiones.

En las compañías que se han rediseñado, por el contrario, la estructura organizacional no es una cuestión tan seria. El trabajo se organiza en torno a procesos y a los equipos que los ejecutan. ¿Líneas de comunicación? La gente se comunica con quien sea necesario. El control está en manos de las personas que ejecutan el proceso.

Por consiguiente, cualquier estructura organizacional que quede después de la reingeniería tiende a ser plana, pues el trabajo lo ejecutan equipos formados por personas esencialmente iguales unas a otras, que operan con gran autonomía y tienen el apoyo de unos pocos gerentes — pocos porque mientras que un gerente puede supervisar sólo a unas siete personas, puede entrenar a cerca de treinta. Con una relación gerente-trabajador de uno a siete, la organización necesariamente será jerárquica, pero lo será mucho menos si la relación es de uno a treinta.

Stephen Israel, vicepresidente senior de IBM Credit, cuando se le preguntó por el organigrama de su empresa después de la reingeniería, contestó: "Sí, tenemos un organigrama, pero nunca lo consultamos". La estructura de su organización se ha convertido en una frase: un puñado de gente que trabaja. Una compañía así no se fía de la estructura en sí para resolver muchas cuestiones. Después de la reingeniería, la cuestión de estructura ha disminuido notablemente de importancia.

- Los ejecutivos cambian: de anotadores de tantos a líderes

No es el menor de los cambios que la reingeniería ha traído la oportunidad y la necesidad de modificar el papel de los altos ejecutivos de una compañía. Las organizaciones más planas acercan a los ejecutivos a los clientes y a las personas que realizan el trabajo que agrega valor. En un ambiente rediseñado, la cumplida ejecución del trabajo depende mucho más de las actitudes y los esfuerzos de trabajadores facultados que de actos de gerentes funcionales orientados a tareas. Por consiguiente, los ejecutivos tienen que ser líderes capaces de influir y reforzar los valores y las creencias de los empleados con sus palabras y sus hechos.

Los ejecutivos tienen la responsabilidad global del desempeño de los procesos rediseñados, sin tener control directo sobre las personas que los ejecutan y que trabajan más o menos en forma autónoma, con la guía de sus entrenadores. Los ejecutivos cumplen sus responsabilidades viendo que los procesos se diseñen en forma tal que los trabajadores puedan hacer el oficio requerido y que estén motivados por los sistemas administrativos de la empresa — los sistemas de medición del rendimiento y compensaciones.

En las compañías tradicionales, los ejecutivos están divorciados de las operaciones. Su perspectiva sobre la empresa que manejan es principalmente financiera: ¿Se cumplieron las cuotas este trimestre? Como líderes de una compañía que se ha rediseñado, se acercan más al trabajo real. Al dar forma a los procesos y motivar a los trabajadores, se interesan íntimamente en cómo se hace el trabajo. Ningún entrenador de fútbol le dice a su equipo: "Quiero que ustedes ganen por tantos puntos. Vayan a jugar y al final del partido me informan el resultado". Aun cuando los entrenadores no juegan, participan estrechamente al crear el plan del partido y dirigir el comportamiento de los jugadores. Así también el ejecutivo en una compañía rediseñada es mucho más que un simple anotador de tantos.

Hagamos el resumen de los cambios que ocurren cuando una compañía rediseña sus procesos de negocios. Los oficios, ciertamente, cambian, como cambian las personas que los realizan, las relaciones que ellas tienen con sus gerentes, sus trayectorias profesionales, la forma en que se mide y se recompensa el rendimiento de los empleados, el papel de los gerentes y los ejecutivos y hasta lo que ocurre en la mente de los trabajadores. En suma, cuando se rediseñan los procesos de negocios de una compañía, se cambia prácticamente *todo* en ella, porque todos estos aspectos — personal, oficios, administración y valores — están vinculados entre sí. Los denominamos los cuatro puntos del diamante del sistema de negocios (véase figura 4.1, pág. 86). El punto superior son los procesos de negocios de la compañía: la forma en que se lleva a cabo el trabajo; el segundo, oficios y estructuras; el tercero, sistemas de administración y medición; y el cuarto, su cultura: las cosas que valoran los empleados y en las cuales creen.

Los enlaces son claves. El punto superior del diamante, procesos, determina el segundo punto, oficios y estructuras. La forma

FIG. 4.1. DIAMANTE DEL SISTEMA DE NEGOCIOS

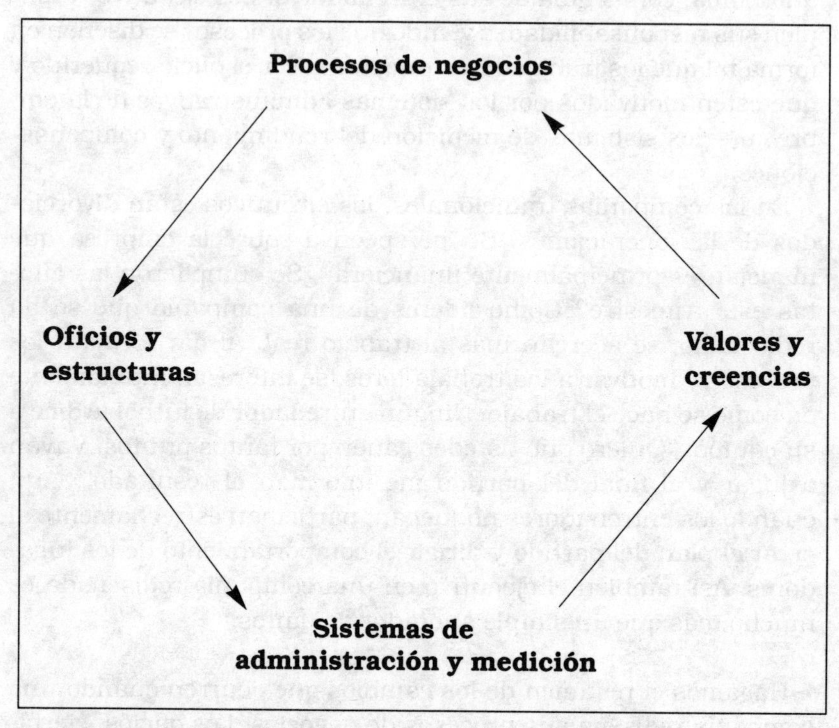

en que se realiza el trabajo determina la naturaleza de los oficios, y cómo se agrupan y organizan las personas que los ejecutan. Los procesos fragmentados que se encuentran en las compañías tradicionales llevan a oficios estrechamente especializados y a organizaciones basadas en departamentos funcionales. Los procesos integrados llevan a oficios multidimensionales que se organizan mejor en equipos de procesos.

De igual manera, las personas que desempeñan oficios multidimensionales y están organizadas en equipos tienen que engancharse, evaluarse y pagarse por medio de sistemas administrativos apropiados. En otras palabras, oficios y estructuras, determinados ellos mismos por los diseños de proceso, a su vez llevan al tercer punto del diamante, el tipo de sistemas administrativos que debe tener una compañía.

Los sistemas administrativos — cómo se les paga a los trabajadores, las medidas por las cuales se evalúa su desempeño, etc. — son los principales formadores de los valores y las creencias de los empleados, cuarto punto del diamante. Por valores y creencias entendemos las cuestiones y preocupaciones que la gente de la organización considera importantes, y a las cuales presta atención significativa.

Finalmente, los valores y las creencias dominantes en una empresa tienen que sustentar el desempeño de los diseños de procesos. Por ejemplo, un proceso de despacho de pedidos diseñado para obrar rápidamente y con precisión, no funcionará así, a menos que las personas encargadas de él crean que la rapidez y la precisión son importantes. Esto nos trae otra vez al punto alto del diamante. Una vez más, decimos que en la reingeniería de negocios no basta con rediseñar los procesos. Todos los cuatro puntos del sistema de negocios tienen que concordar entre sí, o de lo contrario la compañía será defectuosa o mal formada.

El hecho es que todas las compañías, aun las de organizaciones tradicionales, tienen un diamante de negocios. Se puede pensar en la reingeniería como el cambio de un diamante que ha perdido su lustre y su brillo por otro nuevo.

Hay un aspecto de la reingeniería que apenas hemos mencionado de paso, pero que aún no hemos discutido. Es el papel que desempeña la informática. Este papel es parte integrante del sistema, y en el capítulo siguiente se explica por qué.

CAPÍTULO 5

EL PAPEL CAPACITADOR DE LA INFORMÁTICA

Una compañía que no pueda cambiar su modo de pensar acerca de la informática no se puede rediseñar. Una compañía que crea que tecnología es lo mismo que automatización, no se puede rediseñar. Una compañía que primero busque problemas y después les busque soluciones tecnológicas no se puede rediseñar.

La informática desempeña un papel crucial en la reingeniería de negocios, pero también es muy fácil utilizarla mal. La informática, en el más alto grado de la tecnología moderna, es parte de cualquier esfuerzo de reingeniería, un *capacitador esencial* como dijimos en páginas anteriores, porque les *permite* a las compañías rediseñar sus procesos. Pero, así como los problemas de un gobierno no se pueden resolver con sólo gastar más y más dinero, tampoco el solo hecho de destinar más computadores a un problema existente significa que se haya rediseñado. En realidad, el *mal uso* de la tecnología puede bloquear la reingeniería porque refuerza las viejas maneras de pensar y los viejos patrones de comportamiento.

Piénsese en lo que habría resultado de sólo computadorizar el problema en las tres compañías, IBM Credit, Ford y Kodak, cuyos esfuerzos de reingeniería examinamos en el capítulo 2.

IBM Credit podría haber tratado de acelerar su tortuoso y lento proceso de solicitudes de crédito vinculando con computadores a los cinco tipos distintos de especialistas que tramitaban cada etapa. Semejante sistema habría acelerado el viejo proceso al eliminar el tiempo requerido para pasar los expedientes de una oficina a otra, pero no habría hecho nada para eliminar los tiempos de espera, mucho más largos, que sufrían los negocios una vez que llegaban a cada oficina. Computadorizando el proceso, la compañía habría logrado una mejora del 10% en el desempeño en lugar de la mejora de más del 90% que obtuvo mediante la reingeniería.

También Ford podría haberse contentado con sólo computadorizar su proceso de pago a vendedores. Los ejecutivos de la compañía calculaban que con ello podían prescindir del 20% de los 500 empleos en la unidad de cuentas por pagar. En cambio, rediseñando el proceso eliminaron el 80% de dichos empleos.

Kodak podría haber mermado unos pocos días de diseño de producto y herramientas dándoles a sus diseñadores la última palabra de la tecnología en materia de estaciones de mando CAD (diseño ayudado por computador), pero nunca habría logrado con ello la reducción de casi el 50% del tiempo total de desarrollo de producto que logró rediseñando el proceso.

APRENDER A PENSAR POR INDUCCIÓN

Para reconocer el poder inherente a la informática moderna y visualizar su aplicación se requiere que las compañías utilicen una manera de pensar que las personas de negocios no suelen aprender y que tal vez no saben manejar. La mayoría de los ejecutivos y los gerentes saben pensar *en forma deductiva*. Es decir, saben definir muy bien un problema y luego buscar y evaluar sus diversas soluciones. Pero para aplicar la informática a la reingeniería de negocios es necesario pensar *en forma inductiva:* la capacidad de reconocer primero una solución poderosa y en seguida buscar los problemas que ella podría resolver, problemas que la compañía probablemente ni sabe que existen.

Los administradores de Ford pensaron originalmente que su problema era encontrar un método que permitiera procesar más rápidamente y con menos empleados las facturas de los vendedores. En cambio, lo que encontraron fue una solución que prescindía totalmente de facturas. Los ejecutivos de IBM Credit creían que su problema era cómo acelerar el movimiento de información entre los diversos grupos de especialistas. La informática les permitió eliminar a los especialistas, de modo que no se necesitaba pasar papeles de unos a otros. Kodak pensó que su problema estaba en forzar a los diseñadores a trabajar más rápidamente de modo que los pasos sucesivos de un diseño se pudieran iniciar más temprano. Su solución tecnológica prácticamente eliminó la necesidad de diseño secuencial.

El error fundamental que muchas compañías cometen al pensar en tecnología es verla a través del lente de sus procesos existentes. Se preguntan: ¿Cómo podemos usar estas nuevas capacidades tecnológicas para realzar o dinamizar o mejorar lo que ya estamos haciendo? Por el contrario, debieran preguntarse: ¿Cómo podemos aprovechar la tecnología para hacer cosas que *no* estamos haciendo? La reingeniería, a diferencia de la automatización, es innovación. Es explotar las más nuevas capacidades de la tecnología para alcanzar metas enteramente nuevas. Uno de los aspectos más difíciles de la reingeniería es reconocer las nuevas capacidades no familiares de la tecnología en lugar de las familiares.

Hasta Thomas J. Watson, Sr., fundador de IBM, fue víctima de esa común falta de visión cuando declaró que la demanda mundial de computadores procesadores de información sería de menos de cincuenta máquinas. Veinte años después, los fabricantes de computadores grandes y los gerentes corporativos que los usaban despreciaron el minicomputador como si no fuera más que un juguete. Diez años después de eso, el computador personal no tuvo mejor acogida. El raciocinio era: "Ya estamos atendiendo a nuestras necesidades con computadores grandes; ¿para qué queremos los pequeños?" La respuesta, como podemos verlo ahora, era que el gran poder de los minicomputadores y después del computador personal no estaba en hacer lo que ya hacían las máquinas grandes sino en darles vida a aplicaciones totalmente nuevas.

Pensar deductivamente sobre la tecnología no sólo hace que la gente desconozca lo que es realmente importante en ella, sino que también la hace entusiasmarse con tecnologías y aplicaciones que son, en realidad, triviales o carecen de importancia. No hace mucho tiempo, a alguien se le ocurrió que sería una magnífica idea combinar en un solo aparato el computador personal y el teléfono, porque la unidad integrada ahorraría espacio en los escritorios y costaría menos que comprar las dos cosas por separado. Eso puede ser cierto; pero combinar las dos máquinas en una no ofrece ningún avance trascendental ni capacita a la gente para hacer cosas importantes que no hiciera antes. Cuando mucho, era una mejora marginal.

La falta de pensamiento inductivo sobre la tecnología no es un problema nuevo ni se limita a los legos. Al principio no fueron pocos los que creyeron que el mayor potencial del teléfono era reducir la soledad de las amas de casa en las granjas. Thomas Edison dijo cierta vez que, a su modo de ver, el valor del gramófono, inventado por él, era su capacidad de permitirles a los "caballeros moribundos" registrar sus últimos deseos. Marconi, el que perfeccionó la radio, la vio como una forma de comunicación telegráfica que operaría entre dos puntos; pero no reconoció su potencial como medio de radiodifusión. El verdadero poder de la xerografía se le escapó nada menos que a IBM.

A fines del decenio de los 50, cuando Xerox estaba haciendo la investigación básica para la 914, su primera copiadora comercial, la compañía se vio en grandes estrecheces de dinero y estaba dispuesta a negociar el proyecto. Le ofreció sus patentes a IBM, y ésta suscribió un contrato con la célebre firma de consultores de Boston, Arthur D. Little (ADL) para que hiciera una investigación de mercado. ADL llegó a la conclusión de que aun cuando la revolucionaria copiadora capturara el 100% del mercado de papel carbón, autocopia y hectógrafo — que eran entonces las técnicas empleadas para sacar copias — no se recuperaría la inversión necesaria para meterse en el negocio de copias. IBM, basándose en las pruebas a su disposición, declinó las patentes de Xerox y resolvió no entrar en el negocio de copiadoras. A pesar del sombrío pronóstico, Xerox siguió adelante, con la idea de que *alguien* encontraría útil su invento.

Hoy sabemos — y ahora nos parece obvio — que el poder de la copiadora Xerox no estaba en su capacidad de reemplazar al papel carbón o a otros medios que entonces se empleaban para copiar, sino en su capacidad para prestar servicios más allá del alcance de esas técnicas. La 914 creó un mercado para copias que antes no existía. Treinta ejemplares de un documento para compartirlos con un grupo de compañeros de trabajo no era una necesidad que se sintiera antes del invento de la xerografía. Como no se podían sacar treinta copias de manera fácil y económica, nadie pensaba que esto fuera una "necesidad".

Lo que vemos en estos casos de tecnología que crea usos antes desconocidos es una variante de la ley de Say. Jean Baptiste Say, economista francés de comienzos del siglo XIX, observó que en muchas situaciones la oferta crea su propia demanda. La gente no sabe que desea una cosa hasta que ve que la puede obtener; entonces le parece que no puede vivir sin ella. Alan Kay, a quien a menudo se considera el padre del computador personal, y que hoy está con Apple Computers, se expresa así: "Una tecnología importante crea primero el problema y luego lo resuelve". Nadie "necesitaba" la copiadora 914 — nadie sabía que tuviera el problema que ella resolvió — hasta que la 914 apareció. Entonces la necesidad latente y no expresada se hizo súbitamente tangible y avasalladora.

Así, pues, no hay para qué preguntarle a un individuo cómo utilizaría una tecnología en su negocio. Todos contestarán inevitablemente en función de cómo esa tecnología podría mejorar una tarea que ellos ya están realizando. Al público sí se le puede preguntar si prefiere la leche en botellas o en cajas de cartón porque el consumidor conoce la leche y conoce ambos tipos de envases, de modo que puede dar buena información sobre sus preferencias y las razones que tenga para sostenerlas. Pero en la época anterior a la xerografía, si los investigadores de mercados hacían encuestas sobre máquinas copiadoras (como en efecto las hicieron) la gente contestaba que no valía la pena pagar ese precio para sólo reemplazar el papel carbón.

De igual modo, si un firma investigadora de mercados le pregunta a una persona que viaja frecuentemente por negocios qué le haría su vida más fácil, probablemente contestará que le gustaría poder llegar más pronto al aeropuerto, o soñaría con tener su avioneta privada. Lo que *no dirá* que necesita es un dispositivo de teletransporte estilo Star Trek, sencillamente porque semejante aparato está fuera de su marco de referencia. Cuando el investigador le habla de viajes de negocios, el viajero comercial piensa en los procesos familiares: quedarse atascado en una congestión de tránsito yendo al aeropuerto, hacer cola, viajar en un asiento incómodo, deglutir una comida espantosa. Ésos son los problemas que le son familiares y para los cuales quisiera encontrar algún atenuante. El verdadero poder de la tecnología está en ofrecer soluciones para problemas que ni siquiera él sabe que tiene; por ejemplo, cómo eliminar totalmente los viajes en avión.

Sony Corporation ha alcanzado gran parte de su éxito poniendo atención a este precepto fundamental: La investigación de mercado hecha para un producto que todavía no existe no sirve para nada. Cuando los diseñadores de la compañía concibieron la idea del walkman, la administración no ordenó hacer encuestas para ver si el producto sería bien recibido por los consumidores. Comprendiendo que el público no podía imaginar una cosa que no conocía, siguió adelante con el walkman, basándose en la intuición de su gente sobre las necesidades del público y las capacidades de la tecnología. No se puede decir que el walkman respondiera a las ideas del público sobre cómo y en dónde escuchar música sino que las transformó.

El punto general que queremos recalcar es que a las necesidades, lo mismo que a las aspiraciones, les da forma lo que la gente entiende que es posible. La tecnología trascendental hace factibles actividades y actos con que la gente no sueña todavía. Lo que la mayoría de las corporaciones no reconocen son las posibilidades de negocios latentes en la tecnología. Esta falta de visión es comprensible, aun cuando no excusable.

Obsérvese, por ejemplo, lo que es una teleconferencia. Esta tecnología les permite a individuos situados en salas especialmente equipadas, pero en lugares muy distantes, verse y oírse los unos a los otros y trabajar juntos, casi como si estuvieran en la misma sala. Inicialmente, las organizaciones vieron el valor de la teleconferencia como un medio de reducir gastos de viaje: los funcionarios podrían conferenciar sin tener que volar. En cuanto a esto, la teleconferencia, en general, ha resultado un fracaso monumental. Los funcionarios siguen viajando para verse con otras personas por muchas razones. Un viaje, sea a través de la ciudad o a través del país, implica que se le concede importancia a la información que se transmite o al tema que se va a discutir. La comunicación no verbal que tiene lugar en las reuniones personales probablemente es más importante que todas la palabras que se dicen. Con razón la teleconferencia no ha producido mucho efecto en los costos de viaje de las corporaciones.

Sin embargo, esto no significa que no tenga valor. Significa que su valor está en transformar la manera de hacer el trabajo, no en rebajar su costo. Por ejemplo, una compañía que conocemos ha usado teleconferencias para reducir en seis meses su ciclo de desarrollo de producto. ¿Cómo?

El personal de ingeniería y el de marketing de la compañía tienen su sede en dos ciudades distintas, así que una vez al mes un grupo volaba a la ciudad del otro grupo, y allí arreglaban sus problemas. Ahora la compañía instaló equipos de teleconferencias, pero los ingenieros y el personal de marketing todavía viajan a entrevistarse personalmente una vez al mes porque han encontrado que es muy difícil resolver todas sus diferencias por televisión. Este medio es demasiado frío y no reemplaza al combate cuerpo a cuerpo. Sin embargo, esos dos grupos utilizan el sistema de teleconferencia para discusiones semanales que antes no podían celebrar por la incomodidad, la pérdida de tiempo y el costo adicional de los viajes.

En sus teleconferencias semanales hacen el seguimiento de los puntos discutidos en su última reunión cara a cara. Además, pueden incluir más personas en las discusiones. Antes del sistema de teleconferencias, los altos administradores estaban demasiado ocupados para destinar tres días a una reunión mensual — uno de ida, otro para la conferencia y el tercero de regreso —, y resultaba demasiado costoso comprar pasajes de avión para el personal de nivel inferior que tenía que ver con los proyectos. Eso significaba que solamente el personal de nivel medio podía reunirse. Con la teleconferencia, todo el mundo se puede "reunir" una vez a la semana, mantenerse al día y obtener respuestas a sus preguntas de rutina. En consecuencia, los diseñadores de productos y los encargados de marketing mantienen mejor contacto, los problemas se resuelven más temprano y más rápidamente, se dan menos pasos en falso, los proyectos se terminan más pronto y los productos resultan mejor adaptados a sus mercados.

En suma, el valor de la teleconferencia para esta compañía estaba en permitirle hacer algo que *no había hecho* antes: mantener en contacto semanal a los encargados de marketing y a los diseñadores. Este uso no se les había ocurrido a los que promovían las teleconferencias porque no habían abandonado aún su vieja manera de pensar en forma deductiva.

Repetimos: El poder real de la tecnología no está en que pueda hacer funcionar mejor los viejos procesos, sino en que les permite a las organizaciones romper las reglas y crear nuevas maneras de trabajar; es decir, rediseñar.

Cuando General Motors construyó su nueva planta para fabricar los automóviles Saturn, gozó de la oportunidad de rediseñar los viejos procesos sin las limitaciones impuestas por las plantas existentes. En consecuencia, como tenía grandes expectativas para la fábrica de Saturn, pudo romper las viejas reglas globalmente aprovechando la cualidad capacitadora de la informática.

GM diseñó para la fábrica Saturn una base de datos en línea, accesible para los proveedores de componentes de la empresa. Los proveedores no tienen que esperar a que GM les envíe una orden de compra; sencillamente consultan en la base de datos el programa de producción de GM, y se encargan de entregarle las partes apropiadas a la planta de montaje según se necesiten. Sabiendo cuántos automóviles va a fabricar GM el mes próximo, pongamos por caso, la compañía que suministra los frenos para Saturn sabe cómo configurar sus propios programas de producción y despacho. Es responsabilidad del fabricante de frenos presentarse a las 8:30 de la mañana en la puerta de la correspondiente fábrica con los frenos que se necesitan para los autos que se van a fabricar, debidamente ordenados en anaquelerías portátiles y en secuencia de línea. Nadie en Saturn le ha dado instrucciones explícitas para hacer esto.

En este proceso no hay papeles — ni órdenes de compra ni facturas. Una vez que las partes se despachan, el vendedor envía a Saturn un mensaje electrónico que dice en esencia: "Éstas son las partes que les enviamos". Cuando llega la caja de mercancía, el empleado de recibo repasa el código impreso en ella con una varita electrónica. El computador le informa a qué lugar de la fábrica debe ir el despacho. Simultáneamente, el escanógrafo inicia el pago al vendedor.

En esencia, la informática — en este caso, la base de datos de producción programada y el intercambio electrónico de datos (IED) — les ha permitido a Saturn y a sus proveedores funcionar como una sola compañía, eliminar costos indirectos en ambas organizaciones y romper una de las más viejas reglas no escritas de las corporaciones: tratar a los vendedores como si fueran adversarios.

Ciertamente, romper reglas es lo que recomendamos para que la gente aprenda a pensar en forma inductiva acerca de la tecnología durante el proceso de reingeniería: Buscar la vieja regla o reglas que la tecnología permite romper, y luego ver qué oportunidades comerciales se crean al romperlas. La teleconferencia, por ejemplo, rompe la regla de que las personas situadas a gran distancia entre sí sólo pueden reunirse con poca frecuencia y a gran costo. Hoy es posible que esas personas se reúnan con frecuencia y sin mucho gasto, en un ambiente en que las limitaciones de separación geográfica ya no cuentan.

Ese concepto le proporciona a una compañía un instrumento poderoso para transformar sus operaciones. Se puede aplicar en muchas áreas y a muchos procesos, no sólo al desarrollo de productos. Muchos comerciantes en grande, tales como Wal-Mart y K Mart, están utilizando teleconferencias para permitirles a comercializadores situados en la oficina central guiar y asesorar a los gerentes en las sucursales. La teleconferencia les permite combinar la iniciativa local con la experiencia centralizada.

IBM Credit, Ford y Kodak también aprovecharon la tecnología para romper reglas. Las reglas, explícitas o no, no eran ni frívolas ni absurdas cuando se formularon. Eran la expresión de los conocimientos adquiridos por la experiencia. Un buen gerente de planta sólo pocas veces se queda sin partes debido a una demanda inesperada, antes de aprender a pedir un poco extra. Cuando no se disponía de tecnología para hacer proyecciones, esa práctica era perfectamente lógica. Pero el advenimiento de esa tecnología rompe la regla relativa a la necesidad de tener existencias de reserva para atender a una demanda inesperada.

Es este poder *destructivo* de la tecnología — su capacidad de romper las reglas que limitan la manera de realizar nuestro trabajo — lo que hace que ésta sea tan importante para las compañías que buscan ventaja competitiva.

Damos en seguida algunas ilustraciones de otras reglas relativas a la realización del trabajo, que se pueden romper valiéndose de diversas tecnologías de la información, algunas de ellas familiares y otras muy nuevas.

Regla antigua: La información puede aparecer solamente en un lugar a la vez.

Tecnología destructiva: Bases de datos compartidas.

Nueva regla: La información puede aparecer simultáneamente en tantos lugares como sea necesario.

Da mucho en qué pensar el grado en que la estructura de nuestros procesos ha sido dictada por las limitaciones de la carpeta de archivo. Cuando la información se capta en papel y se almacena en una carpeta, solamente una persona la puede usar a la vez. Sacar copias y distribuirlas no es siempre factible, y, en todo caso, lleva a la producción de múltiples versiones que tal vez no coincidan entre sí. En consecuencia, el trabajo que necesita esta información tiende a estructurarse secuencialmente; un individuo completa su tarea y luego le pasa la carpeta al siguiente de la línea.

La tecnología de base de datos cambia esta regla. Les permite a muchas personas usar la información simultáneamente.

En un negocio de seguros, por ejemplo, el funcionario A puede estar calculando la tasa de la prima de un solicitante mientras el funcionario B investiga su posición de crédito — usando ambos el mismo formulario de solicitud — porque ninguno de los dos oficios depende del otro. Haciendo que un documento exista en diversos lugares al mismo tiempo, la tecnología de base de datos libera a un proceso de las limitaciones artificiales de la secuencia.

Regla antigua: Sólo los expertos pueden realizar el trabajo complejo.
Tecnología destructiva: Sistemas expertos.
Nueva regla: Un generalista puede hacer el trabajo de un experto.

A principios de los años 80, cuando la tecnología de sistemas expertos apareció en las pantallas de radar de las compañías, muchos vieron su utilidad de manera directa y simplista: la explotarían para automatizar el trabajo de expertos muy especializados, capturando la pericia de éstos en software de computador. Ésta era una idea sumamente necia por varias razones: La tecnología realmente no da para tanto; de todas maneras tenemos que conservar a los expertos, para que sigan aprendiendo y avanzando en su campo; y no está claro cómo gente tan inteligente iba a participar compartiendo toda su sabiduría con un computador destinado a reemplazarla.

Sin embargo, con el tiempo, organizaciones más sofisticadas han aprendido que el valor real de la tecnología de sistemas expertos está en que les permite a individuos relativamente no calificados operar casi al nivel de expertos altamente capacitados.

Por ejemplo, una importante compañía de productos químicos le proporcionó a cada uno de sus representantes de servicio a clientes un sistema experto que lo asesora sobre las características y las relaciones de un producto. Este sistema le permite a cada uno de ellos tratar una averiguación del cliente como una oportunidad de venta cruzada, cosa que antes sólo hacían los mejores.

Generalistas apoyados por sistemas integrados pueden realizar el trabajo de muchos especialistas, y este hecho tiene profundas consecuencias en cuanto a la forma en que podemos estructurar el trabajo. Como lo ilustran los cambios realizados en IBM Credit, la tecnología de sistemas permite la introducción de un *trabajador de caso*, quien puede encargarse de todos los pasos de un proceso, desde el principio hasta el fin. Eliminando los pases laterales, las demoras y los errores inherentes a un proceso lineal tradicional, un proceso llevado a cabo por un *trabajador de caso* puede lograr enormes mejoras en tiempo de ciclo, en precisión y en costo.

Regla antigua: Los negocios tienen que elegir entre centralización y descentralización.

Tecnología destructiva: Redes de telecomunicaciones.

Nueva regla: Los negocios pueden obtener simultáneamente los beneficios de la centralización y de la descentralización.

La gente de negocios "sabe" que las fábricas, las instalaciones de servicios y las oficinas de ventas situadas lejos de la oficina central hay que tratarlas como organizaciones separadas, descentralizadas y autónomas para que funcionen eficientemente. ¿Por qué? Porque si toda cuestión que surge en las sucursales tuviera que consultarse con la oficina central para obtener la solución, sería poco lo que se podría realizar, y aun ese poco sería tardío. La experiencia enseña que los vendedores generalmente trabajan mejor si pueden tomar sus propias decisiones.

Cuando las compañías se valen de viejas tecnologías — el servicio de correos, el teléfono o incluso el correo expreso — para mandar la información de un punto a otro, tienen que sacrificar el control de la administración central a fin de obtener flexibilidad en las operaciones de las sucursales.

En cambio, las nuevas tecnologías liberan a las empresas de esta necesidad de transigir. Redes de comunicación de alta amplitud de banda le permiten a la oficina central disponer de la misma información que tienen las sucursales y ver los datos que éstas usan — y viceversa — en tiempo real. Con esta capacidad compartida, toda sucursal puede verdaderamente ser parte de la oficina central y ésta a su vez puede formar parte de toda sucursal. Esto significa que las compañías pueden valerse del método que mejor sirva a sus mercados: centralización, descentralización o una combinación de ambas cosas.

La informática le permitió a Hewlett-Packard, diseñadora y fabricante de instrumentos y sistemas de computador, romper la vieja regla de que la centralización y la descentralización son mutuamente excluyentes. En abastecimiento de materiales, como en la mayor parte de sus actividades, Hewlett-Packard era altamente descentralizada y les concedía a sus divisiones operativas autonomía prácticamente completa en materia de compras porque ellas eran las que mejor conocían sus propias necesidades. Pero los beneficios de la descentralización (flexibilidad, individualización, adaptabilidad) se compran a un precio (pérdida de economías de escala y control reducido). Las compras descentralizadas significaban que la compañía no podía aprovechar los descuentos por gran volumen que ofrecerían sus proveedores. Por esa razón, calculaba que gastaba anualmente en materias primas entre 50 millones y 100 millones de dólares más de lo necesario. Centralizar las compras no habría resuelto el problema de altos costos; simplemente lo habría cambiado por el doble problema de burocracia y falta de flexibilidad. Hewlett-Packard encontró un tercer camino gracias al uso de un sistema común de software de compras.

En el nuevo sistema, cada división manufacturera sigue pidiendo ella misma las partes que necesita; pero ahora cada unidad utiliza un sistema de compras estandarizado. Estos sistemas le envían información a una nueva base de datos que supervisa una unidad de abastecimiento corporativo. Esta unidad negocia contratos en bloque y descuentos por volumen con proveedores de productos seleccionados, en nombre de Hewlett-Packard globalmente. Puede hacer esto porque la base de datos le da información completa sobre las compras actuales y proyectadas de las diversas divisiones. Una vez que se han establecido los contratos, los agentes de compras consultan la base de datos para localizar a proveedores aprobados y colocar sus pedidos.

El nuevo proceso le da a Hewlett-Packard lo mejor de la centralización — descuentos por volumen — y lo mejor de las compras descentralizadas — atender localmente a las necesidades locales.

La informática, usada con buena imaginación, elimina la necesidad de sucursales separadas y completamente informadas, con sus propias áreas de soporte. La industria bancaria, entre otras, ya ha empezado a reconocer esta realidad. Durante muchos años, los bancos trataron sus sucursales como centros de pérdidas y utilidades, pero ahora muchos ven una sucursal solamente como un punto de ventas y no como una organización autónoma. La disponibilidad de cajeros automáticos y otros dispositivos de alta capacidad de información en tiempo real significa que las transacciones de las sucursales aparecen inmediatamente en los libros del banco central. Como una sucursal es entonces un simple punto de ventas, los bancos se pueden mantener más cerca del cliente sin tener que renunciar al control central de las operaciones.

Regla antigua: Los gerentes toman todas las decisiones.

Tecnología destructiva: Instrumentos de apoyo a decisiones (acceso a bases de datos, software de modelos).

Nueva regla: La toma de decisiones es parte del oficio de todos.

Parte del modelo de la revolución industrial es la idea de la toma de decisiones jerárquica. Del trabajador que realiza una tarea se espera que sólo haga su oficio, no que piense ni tome decisiones sobre él. Estas prerrogativas se reservan a la administración. Estas reglas no eran simples manifestaciones de feudalismo industrial. Los administradores, en efecto, tenían perspectivas más amplias, basadas en mayor información que los trabajadores de niveles inferiores. Esta información superior se suponía que les permitía tomar mejores decisiones.

Sin embargo, el costo de la toma de decisiones jerárquica es en la actualidad demasiado elevado y ya no se resiste. Consultarlo todo con los superiores significa que las decisiones se hacen demasiado lentas para un mercado que marcha a pasos muy rápidos. Actualmente las compañías dicen que se dan cuenta de que los trabajadores de primera línea tienen que estar facultados para tomar sus propias decisiones, pero esto no puede lograrse simplemente dándoles a los empleados autorización para tomarlas. Necesitan también disponer de los instrumentos adecuados.

La moderna tecnología de bases de datos permite hacer ampliamente accesible la información que anteriormente sólo estaba a la disposición de la administración. Cuando la información accesible se combina con análisis y herramientas de simulación fáciles de utilizar, los trabajadores de primera línea, debidamente capacitados, tienen en su mano instrumentos refinados para la toma de decisiones. Éstas se pueden tomar más rápidamente, y los problemas se pueden resolver apenas se presentan.

Regla antigua: El personal que normalmente trabaja fuera de la empresa necesita oficinas en que reciba, almacene, recupere y transmita información.

Tecnología destructiva: Radiocomunicación y computadores portátiles.

Nueva regla: El personal que trabaja fuera de la empresa puede enviar y recibir información donde quiera que esté.

Con comunicación de información por radio de banda ancha y computadores portátiles, el personal cuyas actividades se desarrollan fuera de la empresa, de cualquier ocupación que sea, puede solicitar, ver, manipular, usar y transmitir casi a cualquier parte sin tener que acudir nunca a la oficina.

La radiocomunicación de datos se vale de una tecnología parecida a la que se usa en los teléfonos celulares, con la importante diferencia de que le permite al usuario enviar datos además de la voz, o en lugar de ésta. Con terminales y computadores cada vez más miniaturizados, los trabajadores pueden comunicarse con fuentes de información donde quiera que estén. Por ejemplo, el personal de servicio de ascensores Otis lleva consigo pequeños terminales portátiles. Después de reparar un ascensor, actualizan sobre el terreno la historia del servicio a ese cliente y luego transmiten la información por modem a la oficina central de la compañía. Avis ha aplicado el mismo principio a sus operaciones de alquiler de automóviles. Cuando un cliente devuelve un auto, el empleado que lo recibe, equipado con un diminuto computador, sale a su encuentro en el patio de estacionamiento, saca el registro de la transacción de alquiler e introduce el cambio. El cliente no tiene ni siquiera que visitar la oficina.

Anotamos atrás que la comunicación de gran amplitud de banda les permite a las empresas romper la vieja regla que decía que las sucursales tenían que ser organizaciones autónomas. La radiocomunicación de información va más allá y empieza a eliminar totalmente la necesidad de sucursales. Procesos tales como informar sobre el progreso de una tarea, la liquidación de una reclamación de seguro y consultas sobre reparación de equipos, no dependerán de que el trabajador tenga que ir a buscar un teléfono o una terminal de computador. La oficina central puede enterarse de lo mismo que sabe el personal de la sucursal en el mismo momento, y viceversa.

Regla antigua: El mejor contacto con un comprador potencial es el contacto personal.
Tecnología destructiva: Videodisco interactivo.
Nueva regla: El mejor contacto con un comprador potencial es el contacto eficaz.

Algunas compañías han empezado a utilizar videodiscos interactivos que permiten ver un segmento de vídeo en una pantalla de computador y luego hacer preguntas o contestarlas en la pantalla. Esta tecnología se aplicó inicialmente en la capacitación, pero su poder potencial va mucho más allá.

Por ejemplo, varios minoristas están experimentando con vídeo interactivo para reforzar su personal de ventas. En estas tiendas, los clientes escogen un producto mediante un catálogo, ven una presentación por vídeo sobre él, hacen preguntas y luego lo compran con una tarjeta de crédito — sin ninguna intervención humana. Este proceso puede parecer frío e impersonal, pero los clientes lo encuentran preferible a la experiencia habitual: esperar interminablemente a que acuda un vendedor o vendedora, y luego comprobar que estos empleados no están suficientemente informados.

Los bancos han empezado a usar vídeo interactivo para explicarles a los clientes sus servicios, que se hacen cada vez más complejos; y los clientes pueden pedirle a la máquina aclaraciones sobre puntos que no entienden. Hay alguna información que se comunica *mejor* visualmente, como sucede en el negocio de bienes raíces. El vídeo lleva a los presuntos compradores a ver casas completas, y les permite volver a ver la alcoba principal si así lo solicitan — sin salir de la oficina del agente.

Regla antigua: Uno tiene que descubrir dónde están las cosas.

Tecnología destructiva: Identificación automática y tecnología de rastreo.

Nueva regla: Las cosas le dicen a uno dónde están.

En combinación con la radiocomunicación de datos, la tecnología de identificación automática permite que las cosas — los camiones, por ejemplo — le digan a uno dónde están. No hay necesidad de buscarlos, y si uno quiere que vayan a otra parte, reciben la orden instantáneamente. Ya no hay que esperar a que el conductor llegue a la siguiente parada de camiones y pueda telefonear al despachador.

Una compañía que sabe en tiempo real dónde están sus camiones (o sus vagones de ferrocarril o sus técnicos de servicio) no necesita tantos de ellos. No necesita tanta duplicación de personal, de equipos y de materiales para compensar las demoras inherentes a localizar y volver a encaminar cosas y gente en tránsito.

Por ejemplo, algunos ferrocarriles están utilizando sistemas de satélite para saber dónde está determinado tren en determinado momento. El viejo método de seguir la trayectoria de un tren se valía de símbolos como códigos de barras pintados en los lados de los vagones. Al pasar el tren por una estación, una máquina (en teoría) leía el código de barras y transmitía la posición del tren a la oficina central. Decimos "en teoría" porque el sistema jamás funcionó. Los signos pintados se cubrían de polvo y suciedad de tal modo que eran ilegibles. Con el sistema de satélites, las compañías ferroviarias pueden entregar vagones de carga con la misma precisión con que las compañías de tren expreso entregan paquetes.

Regla antigua: Los planes se revisan periódicamente.
Tecnología destructiva: Computadores de alto rendimiento.
Nueva regla: Los planes se revisan instantáneamente.

La simple capacidad de los nuevos computadores, que son cada vez más *accesibles*, crea nuevas posibilidades de aplicación para las compañías. Véase la manufactura, por ejemplo. Actualmente un fabricante recoge datos sobre ventas de productos, precios y disponibilidad de materias primas, oferta de mano de obra, etc., y así elabora un programa maestro de producción una vez al mes (o una vez a la semana). Un computador alimentado con datos de tiempo real transmitidos desde terminales en los puntos de venta y mercados de productos primarios, y quizá hasta pronósticos meteorológicos, entre otras fuentes de información, puede reajustar constantemente el programa para ponerlo a tono con las necesidades de tiempo real, no históricas.

Por estos ejemplos se verá claramente que los nuevos avances de la tecnología romperán más reglas sobre cómo realizamos los negocios. Reglas que aún parecen inviolables hoy pueden quedar obsoletas a la vuelta de un año, o menos.

Por consiguiente, explotar el potencial de la tecnología para cambiar los procesos de una compañía y hacer que ésta se adelante espectacularmente a los competidores no es cosa que suceda una sola vez, ni es algo que la empresa pueda hacer ocasionalmente, digamos una vez cada decenio. Por el contrario, mantenerse al día con la nueva tecnología y aprender a reconocerla e incorporarla en una organización tiene que ser un esfuerzo permanente — lo mismo que investigación y desarrollo o marketing. Se requiere ojo experto y mente imaginativa para detectar el potencial de una tecnología que al principio no parece tener ninguna aplicación obvia en el trabajo de una compañía, o para ver más allá de lo que es obvio y descubrir aplicaciones novedosas de una tecnología que superficialmente sólo parece útil para realizar mejoras marginales en el *statu quo.*

Las compañías tienen que hacer de la explotación de la tecnología una de sus competencias fundamentales si es que quieren tener éxito en una época de cambio constante; y las que mejor reconozcan y realicen el potencial de la nueva tecnología gozarán de una ventaja continua y creciente sobre sus competidores.

Nuestra opinión es que si una tecnología se puede comprar, ya no es nueva. Somos partidarios de lo que se podría llamar la escuela de tecnología Wayne Gretzky. A Gretzky, que a los 28 años llegó a ser el gran campeón de la Liga Nacional de Hockey, le preguntaron una vez por qué era un gran jugador y contestó: "Porque voy a donde *va a estar* el disco, no a donde *está*". La misma regla se aplica a la tecnología. Construir la estrategia en torno a lo que se puede comprar hoy en el mercado significa que la compañía siempre estará esforzándose por alcanzar a sus competidores, que ya se le habían anticipado. Esos competidores saben qué van a hacer con la tecnología *antes* de que ésta esté disponible, de modo que están preparados para usarla cuando llegue.

Algunas compañías que han tenido gran éxito aplicando tecnología — American Express, por ejemplo, cuyo sistema de procesamiento de imagen le permite enviar copias digitalizadas de recibos originales a tarjetahabientes corporativos lo mismo que a sus departamentos de contabilidad, y Chrysler, con su sistema de comunicaciones por satélite que les ayuda a los distribuidores a manejar sus inventarios de partes — venían pidiendo la tecnología que necesitaban desde mucho antes de que apareciera en el mercado. Año tras año, Chrysler distribuía solicitudes de propuestas en que se esbozaba lo que quería; cuando al fin un vendedor respondió con las capacidades necesarias, Chrysler estaba preparada para ponerlas en ejecución. La administración sabía qué reglas quería romper aun antes de que existiera la tecnología para ello.

Las compañías no pueden ver o enterarse de una tecnología hoy y aplicarla mañana. Se necesita tiempo para estudiarla, entender su significado, conceptualizar sus usos potenciales, convencer de esos usos al personal dentro de la compañía y planificar su ejecución. Una organización que pueda ejecutar estos preliminares antes de que la tecnología esté realmente disponible, inevitablemente ganará una ventaja significativa sobre la competencia — en muchos casos de tres años o más.

Es perfectamente posible mantenerse tres años adelante del mercado en materia de tecnología. Se necesita tiempo para pasar del laboratorio al mercado; no existe ninguna tecnología que será importante en 1996 que hoy no sea ya demostrable. Las compañías listas pueden estar pensando cómo van a usar una tecnología mientras los inventores están todavía perfeccionando sus prototipos.

Como capacitadora esencial en la reingeniería, la informática moderna tiene una importancia difícil de exagerar. Pero las compañías deben guardarse de creer que la tecnología es el único elemento esencial de la reingeniería.

Rediseñar una compañía es emprender un viaje de lo familiar a lo desconocido. El viaje tiene que iniciarlo alguien y en alguna parte. ¿Dónde y quién? Ésa es la cuestión que vamos a examinar en los capítulos siguientes.

CAPÍTULO 6

¿QUIÉN VA A REDISEÑAR?

Las compañías no son las que rediseñan procesos; son las personas. Antes de profundizar en el "qué" del proceso de reingeniería, necesitamos atender al "quién". Cómo escogen las compañías y organizan al personal que realiza la reingeniería es clave para el éxito del esfuerzo.

Hemos visto surgir los siguientes papeles, sea aisladamente o en diversas combinaciones, durante nuestro trabajo con compañías que están llevando a cabo la reingeniería:

- *Líder:* un alto ejecutivo que autoriza y motiva el esfuerzo total de reingeniería.

- *Dueño del proceso:* un gerente que es responsable de un proceso específico y del esfuerzo de reingeniería enfocado en él.

- *Equipo de reingeniería:* un grupo de individuos dedicados a rediseñar un proceso específico, que diagnostican el proceso y supervisan su reingeniería y su ejecución.

- *Comité directivo:* un cuerpo formulador de políticas, compuesto de altos administradores que desarrollan la estrategia global de la organización y supervisan su progreso.

- *Zar de reingeniería:* un individuo responsable de desarrollar técnicas e instrumentos de reingeniería y de lograr sinergia entre los distintos proyectos de reingeniería de la compañía.

En un mundo ideal, la relación entre todos éstos sería así: El *líder* nombra al *dueño del proceso*, quien reúne el *equipo de reingeniería* para rediseñar el proceso con ayuda del *zar* y bajo los auspicios del *comité directivo*. Examinemos más detalladamente estos papeles y a las personas que los desempeñan:

EL LÍDER

El líder hace que tenga lugar la reingeniería. Es un alto ejecutivo con autoridad suficiente como para hacer que la compañía quede al revés y patas arriba y para persuadir a la gente de que acepte las perturbaciones radicales que trae la reingeniería. Sin un líder, una organización podrá hacer algunos "estudios teóricos", y hasta podría salir con algunos conceptos de diseño de procesos; pero sin un líder, no habrá realmente ninguna reingeniería. Aunque se inicie, el esfuerzo perderá rápidamente impulso o se malogrará antes de que llegue a ejecutarse.

A ningún alto ejecutivo se le suele "asignar" el oficio de líder. Éste es un papel que un individuo desempeña por iniciativa propia. Alguien que tiene autoridad para sacarlo adelante se convierte en líder de la reingeniería cuando lo domina la pasión de reinventar la compañía, de hacer que la organización sea la mejor del negocio, de lograr, en fin, que todo quede completamente bien.

El papel principal del líder es actuar como visionario y motivador. Ideando y exponiendo una visión del tipo de organización que desea crear, le comunica a todo el personal de la compañía el sentido de propósito y de misión. El líder debe aclararles a todos que la reingeniería implica un esfuerzo serio y que se llevará hasta el fin. De las convicciones y el entusiasmo del líder la organización deriva la energía espiritual que necesita para embarcarse en el viaje a lo desconocido.

El líder inicia también los esfuerzos de reingeniería de la compañía. Es él quien nombra altos administradores como dueños de los procesos y les asigna la responsabilidad de lograr grandes avances en rendimiento. El líder crea la nueva visión, fija las nuevas normas y, por medio de los dueños, persuade a otros a convertir la visión en realidad.

Los líderes deben crear también un ambiente propicio para la reingeniería. No basta con exhortar al personal. Cualquier persona racional en una ambiente corporativo reacciona cautelosamente, si no con escepticismo, a la insistencia de un ejecutivo para que rompa las reglas, desafíe la sabiduría popular y piense con originalidad. Así que mientras la mitad del oficio del líder consiste en instar al dueño del proceso y al equipo de reingeniería para que realicen su cometido, la otra mitad consiste en apoyarlos de manera que puedan realizarlo. "Sean audaces", les dice, "y si alguien les pone dificultades, pásenmelas a mí. Si alguno les cierra el paso, díganme quién es y yo lo arreglaré".

¿Quién puede hacer el papel de líder? Para el papel se requiere una persona que tenga autoridad suficiente sobre todos los interesados en los procesos que se van a rediseñar, de manera que la reingeniería *pueda* tener lugar. No es necesario que sea el director ejecutivo; en realidad, rara vez lo es. En las compañías grandes, el director ejecutivo tiene otros deberes que van desde conseguir capital en la bolsa hasta entenderse con los clientes claves y mantener la paz con el gobierno. Muchas de esas responsabilidades dirigen su atención hacia fuera de la compañía, lejos de sus procesos. De modo que el papel de líder recae más bien en el jefe de operaciones o el presidente de la compañía, cuya vista está dirigida tanto hacia fuera, hacia el cliente, como hacia adentro, hacia las operaciones del negocio.

Si una compañía proyecta limitar la reingeniería a sólo una parte de la organización, el líder puede ocupar una posición menos alta. Podría ser el gerente general de una división. Sin embargo, si tal es el caso, el líder debe tener autoridad sobre los recursos necesarios para ejecutar los procesos de la división. Por ejemplo, si una división usa instalaciones de manufactura que "pertenecen" al jefe corporativo de manufactura, que no depende del jefe de división, entonces el jefe de división tal vez no tenga la autoridad necesaria para efectuar cambios en manufactura. En tal caso, el líder de este esfuerzo de reingeniería tendría que estar más arriba en la jerarquía. Por razones análogas, un jefe funcional, como un vicepresidente de ventas o de manufactura, por lo general no está en capacidad de actuar como líder, a menos que el esfuerzo de reingeniería esté completamente dentro del dominio de la función.

El liderazgo no es sólo cuestión de posición sino también de carácter. Ambición, inquietud y curiosidad intelectual son las características distintivas de un líder de reingeniería. Un cuidador del *statu quo* nunca podrá hacer acopio de la pasión y el entusiasmo que el esfuerzo requiere.

El líder tiene que *ser* líder. Lo definimos no como el que obliga a los demás a hacer lo que él quiere, sino el que hace que *quieran* hacerlo. El líder no obliga a nadie a hacer cambios que le repugnan. Presenta una visión y persuade a la gente de que debe tomar parte en el esfuerzo, de modo que por su propia voluntad, y aun con entusiasmo, acepte las molestias que acompañan su realización.

Moisés fue un líder visionario. Persuadió a los hijos de Israel de que debían encaminarse a la tierra de leche y miel cuando todo lo que veían en torno era arena. Un hombre solo no podía obligar a todo un pueblo a lanzarse al desierto; tenía que inspirarlos con una visión. Y Moisés les dio personalmente el ejemplo. Cuando llegaron al Mar Rojo, les dijo: "Éste es el plan: Vamos a penetrar en el mar. El Señor dividirá las aguas y pasaremos por tierra seca". Sus seguidores le echaron un vistazo al Mar Rojo y le contestaron: "Tú primero". Él avanzó, y ellos lo siguieron. Colocarse a la cabeza cuando hay riesgo es parte del liderazgo. (Esta historia también demuestra el valor de tener uno a su jefe de su parte, como, ciertamente, lo tenía Moisés.)

El líder de reingeniería demuestra su liderazgo por medio de señales, símbolos y sistemas.

Señales son los mensajes explícitos que el líder envía a la organización, relativos a la reingeniería: qué significa, por qué la hacemos, cómo la vamos a hacer, y qué se necesita. Los líderes que han tenido éxito han aprendido que siempre subestiman cuánta comunicación tienen que hacer. Hacer un discurso o dos — o diez — no basta ni para empezar a transmitir el mensaje. La reingeniería es un concepto difícil de asimilar porque va a contrapelo de todo lo que la gente ha hecho en su carrera. En muchos casos, los empleados no ven (o se niegan a ver) la necesidad de ella. Sólo una persona que tome la reingeniería muy en serio, quizá hasta el punto de fanatismo, puede enviar las señales apropiadas. Winston Churchill definía al fanático como un individuo que no puede cambiar de opinión y no quiere cambiar de tema. Según esta definición, el líder de reingeniería debe tener fanatismo porque la repetición constante del mensaje es necesaria para que la gente lo entienda y lo tome en serio.

Símbolos son las acciones del líder destinadas a reforzar el contenido de las señales y a demostrar que él sí hace lo que predica. Destinar a "los mejores y a los más capaces" de la compañía a los equipos de reingeniería, rechazar propuestas que sólo ofrecen mejoras incrementales, y quitar de enmedio a gerentes que obstruyan el esfuerzo son acciones que, además de su valor intrínseco, son símbolos importantes. Le demuestran a la organización que el líder toma en serio la reingeniería.

El líder necesita usar también *sistemas* de administración para reforzar el mensaje de reingeniería. Estos sistemas tienen que medir y recompensar el desempeño de los empleados en formas que los estimulen para acometer cambios importantes. Castigar al innovador cuando fracasa su innovación no sirve sino para que nadie más vuelva a tratar de innovar. Progressive Insurance, una de las compañías de seguros de mayor éxito en los Estados Unidos, se beneficia con innovaciones constantes. Bruce Marlow, jefe de operaciones, expresa en estos términos la actitud de la compañía: "Nosotros nunca castigamos el fracaso. Lo único que castigamos es la ejecución descuidada y la incapacidad de reconocer la realidad".

Los sistemas administrativos deben recompensar a los que ensayan buenas ideas, aun cuando fracasen, no castigarlos. En Motorola el lema es "*Celebramos* el fracaso noble". Una organización que exija perfección constante descorazona a la gente, la vuelve tímida. Como dijo Voltaire: "Lo perfecto es enemigo de lo bueno".

Algunos líderes han encontrado imposible iniciar sus esfuerzos de reingeniería en culturas corporativas y organizaciones que habían resultado demasiado reacias al cambio. Ron Compton, jefe ejecutivo de Aetna Life and Casualty, inició su programa con una serie de medidas que parecían no tener nada que ver con la reingeniería de procesos. Creó una nueva estructura organizacional en que puso énfasis en la autonomía de las principales unidades del negocio y eliminó los subsidios cruzados; instaló un nuevo equipo de alta administración y llevó a cabo una reducción significativa de personal que bajó notablemente los costos y señaló el fin de la cultura tradicionalmente paternalista de Aetna. Ninguna de estas medidas está dentro de nuestra definición de reingeniería de negocios, pero todas ayudaron a crear un ambiente en el cual podía tener éxito la reingeniería. El poder de estos cambios, dice Compton, es que le permitieron a él decirle a la organización que había "quemado las naves". Había desmantelado la vieja Aetna, de modo que la organización no tenía a dónde ir como no fuera hacia adelante. La expresión alemana *eine Flucht nach Vorn*, una retirada hacia adelante, capta la combinación de desesperación y ambición que muchos líderes de reingeniería encuentran que es necesario infundirles a sus organizaciones.

¿Qué parte de su tiempo debe dedicar el líder a la reingeniería? Al fin y al cabo, un alto administrador tiene que atender a otras cosas, incluso conservar vivo el negocio hasta que empiecen a verse los resultados de la reingeniería. Contestamos esta pregunta de dos maneras. En reingeniería propiamente dicha, el líder no necesita gastar más que un pequeño porcentaje de su tiempo, típicamente para hacer revisiones de proyectos y dar charlas exhortatorias en apoyo del esfuerzo. Al mismo tiempo, la reingeniería debe estar tan profundamente incrustada en su consciencia y en sus objetivos que sea la base de todo cuanto él realiza. La mayoría de los fracasos en reingeniería provienen de fallas de liderazgo. Sin un liderazgo vigoroso, emprendedor, convencido y conocedor, no habrá nadie para persuadir a los poderosos que manejan los silos funcionales dentro de la compañía, de que deben subordinar los intereses de sus áreas funcionales a los intereses de los procesos que atraviesan sus fronteras. Nadie podrá obligarlos a cambiar los sistemas de compensación y medición, nadie podrá obligar a la organización de recursos humanos a redefinir su sistema de calificar un oficio. No habrá nadie para convencer a los que se ven afectados por la reingeniería de que no hay alternativa y de que los resultados justificarán los sacrificios que impone el proceso.

Y ¿qué pasa si no surge al principio ningún líder? ¿Qué pasa si los primeros individuos inspirados para rediseñar no están colocados en posiciones suficientemente altas en la jerarquía para que el esfuerzo arranque? En ese caso, tienen que llevar a bordo a un líder. Para ello se requerirán tacto, perseverancia y modestia. Tendrán que identificar a un líder potencial, crear en su mente un sentido de urgencia y luego introducir la idea de reingeniería de tal manera que el líder la adopte como propia.

Nos detuvimos en la posición del líder por ser éste tan esencial para el feliz resultado de la reingeniería. No es que los otros papeles carezcan de importancia, pero ningún otro individuo de los que participan en la reingeniería es tan importante como el líder.

EL DUEÑO DEL PROCESO

El dueño del proceso, el que tiene la responsabilidad de rediseñar un proceso específico, debe ser un gerente de alto nivel, generalmente con responsabilidad de línea, que tenga prestigio, autoridad y poder dentro de la compañía. Si el deber del líder es hacer que la reingeniería tenga lugar en lo grande, el del dueño del proceso es hacer que tenga lugar en lo pequeño, al nivel de proceso individual. Su reputación, su bonificación y su carrera profesional están en juego cuando un proceso se somete a reingeniería.

Las compañías generalmente no tienen dueños de los procesos porque en las organizaciones tradicionales la gente no piensa en función de procesos. La responsabilidad de los procesos está fraccionada a través de las fronteras organizacionales. Por eso identificar temprano los principales procesos de una compañía es un paso tan importante en la reingeniería. (Tendremos más que decir sobre cómo se hace esto, en el capítulo siguiente.)

Después de identificar los procesos, el líder designa a los dueños que guiarán esos procesos a lo largo de la reingeniería. Los dueños de los procesos suelen ser individuos que están encargados de una de las funciones pertenecientes al proceso que se va a rediseñar. Para poder cumplir su cometido tienen que gozar del respeto de sus compañeros y gustar de la reingeniería — tienen que ser personas que se acomoden al cambio, toleren la ambigüedad y tengan serenidad en la adversidad.

El trabajo de un dueño del proceso no es *hacer* reingeniería sino ver que se haga. El dueño tiene que organizar un equipo de reingeniería y todo lo demás que se requiera para permitir que ese equipo haga su trabajo. Obtiene los recursos que el equipo necesita, lo protege de la burocracia, y trabaja para obtener la cooperación de otros gerentes cuyos grupos funcionales también tienen que ver en el proceso.

Los dueños del proceso también motivan, inspiran y asesoran a sus equipos. Actúan como críticos, voceros, monitores y enlaces para el equipo. Cuando los miembros del equipo empiezan a producir ideas que desconciertan a otros compañeros de trabajo, los dueños del proceso los escudan de los dardos que otros les disparan, les sirven de pararrayos para que los equipos se puedan concentrar en hacer que tenga lugar la reingeniería.

El oficio de los dueños no termina cuando se completa el proyecto de reingeniería. En una compañía orientada a procesos, el proceso y no la función ni la geografía forma la base de la estructura organizacional, de modo que todo proceso sigue necesitando de un dueño que atienda a su ejecución.

EQUIPO DE REINGENIERÍA

El verdadero trabajo de reingeniería — la carga pesada — es la labor de los miembros del equipo. Éstos son los que tienen que producir las ideas y los planes y convertirlos en realidades. Éstos son los individuos que en la práctica reinventan el negocio.

Un pequeño paréntesis antes de examinar quiénes son esas personas: Ningún equipo puede rediseñar más de un proceso a la vez, lo cual significa que una compañía que vaya a rediseñar varios procesos debe tener más de un equipo trabajando. Lo que vamos a decir se aplica a todos ellos.

Obsérvese que a estos grupos los llamamos "equipos", no comités. Para que funcionen bien deben ser pequeños — entre cinco y diez personas. Y cada uno constará de dos tipos de miembros: los de adentro y los de afuera.

Definimos a los de adentro como individuos que actualmente

trabajan en el proceso que se va a rediseñar. Proceden de las diversas funciones que lo integran, lo conocen o, por lo menos, conocen aquellas partes de él que encuentran en su oficio.

Pero conocer el proceso existente y saber cómo lo ejecuta la compañía en la actualidad es una espada de dos filos. El conocimiento íntimo del proceso existente le permite al equipo descubrir sus defectos y rastrear las fuentes de sus problemas de desempeño; pero esa misma proximidad al proceso existente quizá les dificulte pensar en el proceso en formas nuevas e imaginativas.

Los de adentro a veces confunden lo que *es* con lo que *debe ser.* En consecuencia, buscamos personas que hayan desempeñado sus cargos durante un tiempo lo suficientemente largo como para conocerlos a fondo, pero no tan largo como para que crean que el viejo proceso es razonable; no deben haberse habituado a lo ilógico de las maneras estandarizadas de hacer las cosas. También buscamos rebeldes que conozcan las reglas, pero que sepan cómo soslayarlas. En general, los de adentro asignados a un equipo deben ser los mejores y los más brillantes, las nuevas estrellas que surgen en el firmamento de la compañía.

Además de sus conocimientos, el activo más importante que los de adentro aportan al trabajo de reingeniería es su credibilidad ante los compañeros. Cuando dicen que un nuevo proceso funcionará, la gente de la organización de la cual provienen les creerá. Cuando llegue el momento de instalar el nuevo proceso, los de adentro actuarán como agentes claves para convencer al resto de la organización de que acepte los cambios.

Sin embargo, los de adentro no pueden por sí solos rediseñar un proceso. Sus perspectivas individuales quizá sean demasiado estrechas, limitadas a una sola parte del proceso. Además, es posible que tengan intereses creados en lo existente y en la organización diseñada para sostenerlos. Sería pedir demasiado esperar que ellos solos, sin ninguna ayuda, superaran sus prejuicios cognoscitivos e institucionales para visualizar maneras radicalmente nuevas de trabajar. Un equipo compuesto exclusivamente de miembros de adentro tenderá a volver a crear lo que ya existe, quizá con una mejora de un 10 por ciento. Permanecerá dentro del marco del proceso existente pero no lo quebrantará. Para entender lo que se va a cambiar, el equipo necesita gente de adentro; pero para cambiarlo, necesita elementos destructivos. Éstos son los de afuera.

Como los de afuera no trabajan en el proceso que se está rediseñando, ellos le aportan al equipo una mayor dosis de objetividad y una perspectiva distinta. No temen preguntarle al emperador por su nuevo traje; no temen hacer las preguntas ingenuas que acaban con muchos supuestos y abren la mente de las personas a nuevas y emocionantes maneras de ver el mundo. El deber de los de afuera en el equipo es hacer olas. Como no tienen obligaciones con personas a quienes afecten los cambios que ellos inician, sienten que tienen más libertad para correr riesgos.

¿De dónde salen los de afuera? Según la definición, son personas que no están involucradas en el proceso y, a menudo, especialmente en compañías que no han rediseñado siquiera una vez, pueden proceder de fuera de la compañía. Tienen que saber escuchar y ser buenos comunicadores. Tienen que pensar en grande y ser rápidos aprendices puesto que tendrán que aprender mucho en muy poco tiempo acerca de cada uno de los procesos en que van a intervenir. Tienen que ser pensadores imaginativos, capaces de visualizar un concepto y de realizarlo.

Pero, en realidad, las compañías suelen tener muchos candidatos dentro de su propia organización. Donde hay que buscarlos es en los departamentos como ingeniería, sistemas de información y marketing, donde tienden a congregarse personas de orientación a procesos e inclinaciones innovadoras. Las compañías que no tienen en sus propias dependencias candidatos apropiados pueden salir a buscarlos por fuera, por ejemplo contratando firmas de consultores con experiencia en reingeniería. Esos consultores aportan una experiencia que las compañías quizá no puedan duplicar por sí solas.

¿Cuántas personas de fuera deben entrar en un equipo de reingeniería? Un poco de antagonismo es muy conveniente. Una relación de dos o tres de adentro por cada uno de afuera está más o menos bien.

Los de dentro y los de afuera no se mezclan fácilmente. Cuando dan comienzo a sus labores, no hay que esperar que todo va andar como sobre ruedas. Las reuniones del equipo serán más bien como las sesiones del Parlamento ruso, y así es como deben ser. La falta de pugnacidad y conflicto durante la reingeniería indica generalmente que no está ocurriendo nada productivo; pero las diferencias dentro del equipo deben encauzarse hacia un fin común. "La verdad", dijo el filósofo escocés David Hume, "surge del desacuerdo entre amigos". Para nosotros, amigos son personas que se respetan mutuamente y tienen intereses comunes. Los miembros de un equipo tienen que ser amigos que comparten un común objetivo: mejorar la ejecución de su proceso. No hay lugar para jurisdicciones privadas y programas personales.

Los equipos de reingeniería tienen que dirigirse a sí mismos. El dueño del proceso es su cliente, no su jefe, y el sistema que mide y recompensa su desempeño debe aplicar como criterio dominante el progreso del equipo hacia su meta. Además, el desempeño del equipo debe ser la medida más importante del logro de los miembros individuales.

Para funcionar como equipo, los miembros tienen que trabajar juntos en un determinado local, lo cual no es tan fácil como parece. No se logrará si cada uno permanece en la oficina que ocupaba antes de entrar a formar parte del equipo; en efecto, no se logrará si permanecen en oficinas en cualquier parte. La mayoría de compañías no proyectan la disposición de sus locales pensando en trabajo de colaboración; mantienen muchas piezas privadas o semiprivadas para trabajo individual y salas de juntas para las reuniones, pero no tienen espacios grandes apropiados para que un grupo de personas trabajen juntas durante largos períodos de tiempo. Esto no es una cuestión secundaria; puede ser un impedimento serio para el progreso de un equipo de reingeniería. Así, pues, un deber del líder es encontrar o apropiarse un espacio adecuado para su equipo.

La reingeniería implica invención y descubrimiento, creatividad y síntesis. El equipo no debe temer la ambigüedad. Los miembros deben esperar que se cometerán errores y que de éstos aprenderán. En el equipo no hay lugar para los que no puedan trabajar en esta forma.

Las organizaciones corrientes son analíticas y están orientadas al detalle en la solución de problemas; le conceden gran importancia a hallar la solución acertada desde la primera vez. Entronizan lo que nosotros llamamos el modelo de "planificación interminable y ejecución impecable", en el cual un largo período de análisis lleva a un plan tan perfecto que cualquier tonto se supone capaz de ejecutarlo. En cambio, la reingeniería exige que el equipo vaya aprendiendo constantemente a medida que inventa una manera de ejecutar el trabajo. Los miembros tienen que desaprender el estilo tradicional de solución de problemas, a lo cual algunos encuentran difícil acomodarse.

Oficialmente, el equipo de reingeniería no tiene jefe. Generalmente le resulta útil tener un capitán; a veces lo nombra el dueño, pero más a menudo lo eligen por unanimidad sus mismos colegas. El capitán no es rey sino *primus inter pares*, el primero entre iguales. A veces es de adentro, y a veces de afuera, y actúa como facilitador y comisario del equipo. Su deber es capacitar a los miembros para que hagan su trabajo. Puede establecer la agenda para las reuniones, ayudar al equipo a cumplirla y mediar en los conflictos. Alguien tiene que atender a los detalles administrativos, tales como programación y tiempo de vacaciones, y estas tareas también suelen recaer en el capitán. Sin embargo, el principal papel de éste es actuar como miembro del equipo, lo mismo que todos los demás.

Con frecuencia nos hacen tres preguntas sobre reingeniería: ¿Cuánto? ¿Cuánto tiempo? Y después, ¿qué?

Los que nos preguntan cuánto, quieren saber qué proporción de su tiempo deben dedicar al esfuerzo de reingeniería los miembros de un equipo. Respecto de este requisito, somos estrictos. Las destinaciones de horas limitadas no funcionan. Un compromiso mínimo es el 75 por ciento del tiempo de cada miembro, tanto de adentro como de afuera. Una obligación inferior dificultará muchísimo hacer que se realice algo, y además se corre el riesgo de alargar tanto el esfuerzo que pierda impulso y se muera. En realidad, recomendamos ahincadamente que las compañías asignen a los equipos miembros que destinen el ciento por ciento de su tiempo, pues además de facilitarles así que cumplan su cometido, se da con ello una clara notificación a toda la compañía de que la administración toma en serio la reingeniería.

El equipo de reingeniería no es para una tarea de noventa días. Los miembros deben permanecer en el grupo por lo menos hasta la ejecución del primer plan piloto, lo cual generalmente tarda un año, pero de preferencia hasta que se termine el esfuerzo de reingeniería. Para los de adentro, ingresar en el equipo significa abandonar sus actuales destinos y organizaciones locales, que es como debe ser. Tienen que romper los viejos lazos para poder ser leales al proceso, al esfuerzo de reingeniería y a sus compañeros. No están en el equipo como representantes de los intereses parroquiales de sus antiguos departamentos sino de los intereses colectivos de la compañía. Para reforzar esta perspectiva, los de adentro no deben pensar que van a volver a sus viejos puestos una vez concluida la reingeniería; antes bien, deben esperar que entrarán a formar parte de la nueva organización que va a ejecutar el nuevo proceso que están diseñando. Ningún incentivo es tan eficaz como la perspectiva de tener que vivir con los resultados del propio trabajo de uno.

Hasta aquí hemos tratado lo que denominamos el equipo básico, el que tiene la responsabilidad directa del esfuerzo de reingeniería. Generalmente le sirve de complemento un grupo externo de colaboradores de media jornada u ocasionales que hacen aportes más limitados y especializados. Los clientes y los proveedores del proceso están representados entre éstos para asegurar que sus perspectivas y sus preocupaciones sean oídas en forma directa, sin filtrar. Especialistas con experiencia en disciplinas específicas — como informática, recursos humanos o relaciones públicas — se incluyen también en este grupo externo. Ellos poseen información que el equipo necesita, y se les pueden encargar ciertas tareas, tales como construir un sistema de información en apoyo del nuevo proceso o desarrollar un plan de comunicaciones para hacer conocer dicho proceso del resto de la organización. Los compromisos de los distintos individuos varían, pero todos participan ad hoc.

Además del líder y del equipo de reingeniería, vemos surgir otros dos papeles cuando la compañía se rediseña: el comité directivo y el zar de reingeniería.

EL COMITÉ DIRECTIVO

Éste es un aspecto opcional de la estructura de gobierno de la reingeniería. Algunas compañías lo consideran la última palabra, mientras que otras viven muy bien sin él. El comité directivo es un grupo de altos administradores; habitualmente incluye a los dueños del proceso — aunque no se limita a ellos —, quienes proyectan la estrategia global de reingeniería de la organización. Debe presidirlo el líder.

Las cuestiones que trascienden el alcance de los procesos y los proyectos particulares se ventilan en el comité directivo. Este grupo resuelve, por ejemplo, el orden de prioridad de los diversos proyectos de reingeniería y de qué manera se asignarán los recursos disponibles. Los dueños del proceso y sus equipos acuden al comité directivo en busca de ayuda cuando se les presentan problemas que no pueden resolver por sí mismos. Los miembros del comité oyen y resuelven conflictos que se presentan entre los dueños del proceso. En parte Corte Suprema, en parte sociedad de auxilios mutuos y en parte Cámara de los Lores, el comité directivo puede hacer mucho por el buen éxito de un extenso programa de reingeniería.

EL ZAR DE REINGENIERÍA

Los dueños del proceso y sus equipos se concentran en sus proyectos específicos. ¿Quién atiende, entonces, a la administración activa del esfuerzo de reingeniería global, al conjunto de esfuerzos de reingeniería de toda la organización? El líder tiene la perspectiva adecuada, pero no dispone de tiempo para la administración del esfuerzo, día tras día, así que necesita un fuerte apoyo del personal del equipo. Al que desempeña este papel lo denominamos el zar de reingeniería.

El zar de reingeniería es el jefe del equipo del líder para asuntos de reingeniería. En principio, depende directamente del líder, pero hemos visto variaciones incontables de relaciones de dependencia.

El zar tiene dos funciones principales: la primera, capacitar y apoyar a todos los dueños del proceso y a los equipos de reingeniería; la segunda, coordinar todas las actividades de reingeniería que estén en marcha.

La primera visita de un dueño del proceso recién nombrado debe ser al zar, que es el que sabe lo que hay que hacer para realizar la reingeniería. Como conservador de las técnicas pertinentes de la compañía, tiene conocimientos que puede transmitirles a los dueños del proceso para quienes la tarea de reingeniería es nueva.

El zar puede colaborar en la elección de los de adentro para el equipo e identificar (o incluso conseguir) a miembros de afuera apropiados. También asesora a los nuevos dueños sobre cuestiones y problemas que probablemente van a encontrar. Él ya ha transitado esos senderos, de modo que los nuevos viajeros no se sentirán desorientados.

También vigila el zar a los dueños del proceso para que conserven el buen rumbo a medida que procedan con la reingeniería. El zar podría convocar y presidir algunas discusiones entre los dueños de los procesos. Cuando los dueños de los procesos de despacho de pedidos y de adquisición de materiales necesiten coordinar sus esfuerzos, el zar tiene el deber de ver que así lo hagan.

Al zar le compete igualmente el desarrollo de una infraestructura para reingeniería, de modo que todo nuevo proyecto de reingeniería no parezca ser el primero que ha hecho la compañía. Técnicas ya bien probadas y colaboradores de fuera estables y expertos son dos formas en que las compañías se benefician de su propia experiencia previa. Pero también existe una tercera.

Algunos elementos de la infraestructura de una organización, si se emplazan antes de la etapa de ejecución del proyecto de rediseño, pueden suavizar y acelerar dicha ejecución. Uno de tales elementos es la informática. Con frecuencia es posible anticipar temprano en el desarrollo de un proyecto (o aun antes de que se inicie) qué tipo de sistemas de información va a necesitar la compañía para sostener el esfuerzo de reingeniería. Instalar los equipos necesarios y el correspondiente software — las plataformas — para esos sistemas desde temprano, hará marchar la ejecución mucho más rápidamente. De igual modo, si de su experiencia anterior aprendió la compañía que la reingeniería de procesos necesita personal que sólo existe en corto número dentro de la organización, puede proceder a enganchar más gente calificada antes de que el desarrollo del proyecto lo exija, economizándoles así tiempo y angustia a los gerentes de los nuevos proyectos. Hay también mucho que prever en materia de cambios en sistemas administrativos relativos a paga de los trabajadores, remuneraciones y medidas del desempeño. Entre los deberes del zar está prever estas necesidades de infraestructura y atender a ellas aun antes de que surjan.

Una última observación con respecto al zar de reingeniería: Hemos visto casos en que el zar se convierte en un problema por ser demasiado dominante y olvidar que los que están encargados son el líder y el dueño del proceso. Es preciso precaverse contra esta posibilidad y recordar siempre que el trabajo de rediseñar tiene que ser la labor del gerente de línea.

Éstos son, pues, los trabajadores de la viña de la reingeniería: el líder, el dueño del proceso, el equipo con sus miembros de adentro y de afuera, el comité directivo y el zar. En algunas compañías tendrán acaso otros nombres o sus papeles podrán definirse de otra manera. Eso está muy bien. Rediseñar es un arte nuevo, y cabe más de un enfoque.

De la cuestión de quién rediseña pasamos ahora a la siguiente: ¿Qué se rediseña?

CAPÍTULO 7

EN BUSCA DE OPORTUNIDADES DE REINGENIERÍA

Los procesos, y no las organizaciones, son el objeto de la reingeniería. Las compañías no rediseñan sus departamentos de ventas o manufactura; rediseñan el trabajo que realizan las personas empleadas en esas dependencias.

La confusión entre las unidades organizacionales y los procesos como objeto de la reingeniería proviene de que los departamentos, las divisiones y los grupos son familiares para la gente que está en los negocios, mientras que los procesos no lo son; las líneas organizacionales son visibles, claramente trazadas en los organigramas, mientras que los procesos, no; las unidades organizacionales tienen nombre y los procesos, en su mayor parte, no lo tienen.

En este capítulo se ilustra cómo identifican las compañías sus procesos, se sugieren técnicas para elegir los procesos que se deben rediseñar y el orden en que se ha de proceder, y se destaca la importancia de entender los procesos específicos antes de tratar de rediseñarlos.

Los procesos no son una cosa que nosotros hayamos inventado para escribir sobre ellos. Todas las compañías del mundo los tienen; son lo que las compañías hacen.

En una empresa los procesos corresponden a actividades naturales de los negocios, pero, con frecuencia, las estructuras organizacionales los fragmentan y los oscurecen. Son invisibles y anónimos porque la gente piensa en los departamentos individuales, no acerca del proceso en que todos ellos participan. También tienden a carecer de dirección porque a una persona la encargan de un departamento o de una unidad de trabajo, pero a nadie le asignan la responsabilidad de realizar toda la tarea: el proceso.

Una manera de entender mejor los procesos que constituyen un negocio es ponerles nombres que expresen su estado inicial y su estado final. Esos nombres deben tener en cuenta todo el trabajo que se realiza desde el principio hasta el fin. Manufactura, que suena como el nombre de un departamento, debe llamarse más bien proceso de aprovisionamiento a despacho. Otros procesos que se repiten y sus nombres de cambio de estado son:

Desarrollo de producto: de concepto a prototipo
Ventas: de comprador potencial a pedido
Despacho de pedidos: de pedido a pago
Servicio: de indagación a resolución

Así como las compañías tienen diagramas organizacionales, también pueden tener gráficos de procesos que describan la forma en que fluye el trabajo a través de la compañía.

La figura 7.1, pág. 126, es un gráfico de procesos de alto nivel (ligeramente simplificado) del negocio de semiconductores de Texas Instruments (TI). Se destacan en él cuatro características de especial interés. La primera es su sencillez, en comparación con un diagrama organizacional de la misma empresa.

El gráfico muestra solamente seis procesos para un negocio de 4 000 millones de dólares. Un ejecutivo de la compañía comentó: "Hasta que trazamos este cuadro, creíamos que éramos mucho más complicados de lo que somos en realidad". Texas Instruments no es única a este respecto. Pocas serán las empresas que contengan más de diez procesos principales.

FIG. 7.1 GRÁFICO DE PROCESOS DEL NEGOCIO DE SEMICONDUCTORES DE TI

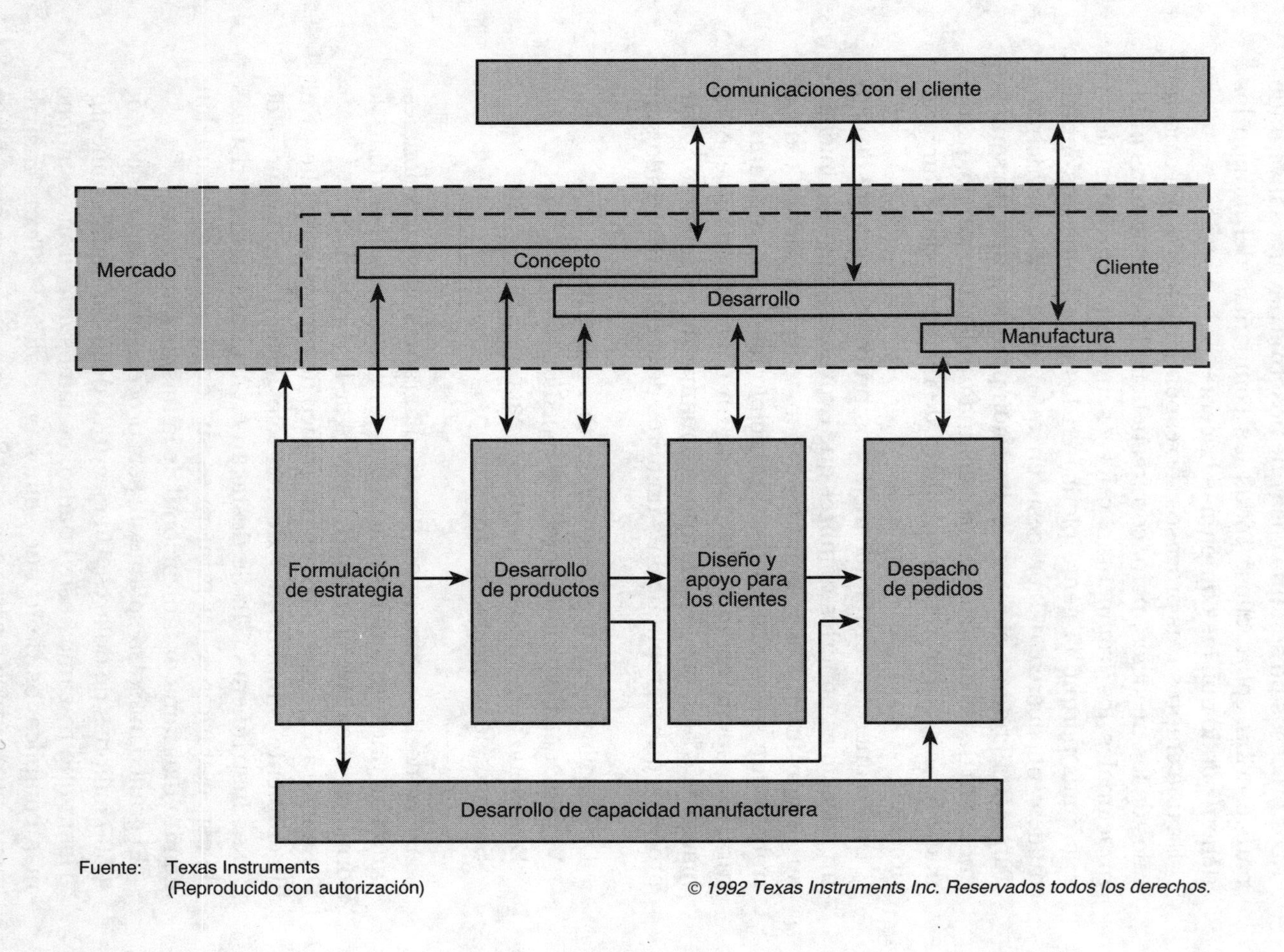

Fuente: Texas Instruments (Reproducido con autorización)

En la división de semiconductores de TI, los principales procesos son formulación de estrategia, desarrollo de productos, diseño y apoyo para los clientes, desarrollo de capacidad manufacturera, comunicaciones con el cliente y despacho de pedidos. Cada uno de estos procesos convierte los insumos en producción.

El proceso de *formulación de estrategia* convierte los requisitos del mercado en una estrategia de negocios, la cual identifica los mercados que hay que servir y los productos y servicios que se han de ofrecer. El de *desarrollo de productos* utiliza este resultado como insumo para producir nuevos diseños de productos. En algunas de las líneas de TI, los diseños generales se deben personalizar para determinados clientes. El proceso de *diseño y apoyo para los clientes* crea como producto estos llamados diseños "calificados", utilizando como insumos los diseños de producto estándar y los requisitos del cliente.

El gráfico de procesos de TI muestra otros tres procesos de alto nivel. Dos de ellos tienen nombres que posiblemente no sean familiares: *Desarrollo de capacidad manufacturera* y *comunicaciones con el cliente.* El primero toma como insumo una estrategia y entrega como producto una fábrica. En el segundo, los insumos son las averiguaciones del cliente; los productos son mayor interés en los productos de TI y respuestas consolidadas a la clientela.

Despacho de pedidos es el proceso cumbre de la compañía; es el que convierte un pedido, un diseño de producto y una fábrica en un producto que se entrega en manos del cliente.

El gráfico de procesos hace una descripción clara y global del trabajo en la división de semiconductores de Texas Instruments: Formulación de estrategia crea la estrategia; desarrollo de productos genera un diseño global del producto; diseño y apoyo para los clientes produce un diseño específico; desarrollo de capacidad manufacturera produce una planta; comunicaciones con el cliente contesta las preguntas y averiguaciones del cliente; despacho de pedidos entrega lo que el cliente desea.

El segundo punto importante que debemos resaltar acerca del gráfico de procesos de TI es que en él se incluye algo que casi nunca aparece en el organigrama de una compañía: el cliente. En este gráfico, el cliente está en todo el centro.

El tercer punto es que el gráfico de procesos de TI también incluye a no clientes en su visión de los procesos. Estos no clientes, que son todos clientes en potencia, están comprendidos bajo el rótulo "mercado" y aportan un insumo importante para el proceso de formulación de estrategia.

En cuarto lugar, el gráfico refleja que TI reconoce que sus clientes son también compañías que tienen sus propios procesos. No se ve al cliente como un monolito sino en función de tres procesos claves con los cuales interactúa TI: formulación de concepto, desarrollo de producto y manufactura. Esta perspectiva indica que TI aprecia cómo funciona el negocio de su cliente y cómo puede ella contribuir a ese trabajo y a los procesos de los clientes.

Unos pocos procesos que uno esperaría encontrar no aparecen en el gráfico. Manufactura, por ejemplo. Texas Instruments fabrica fichas, pero el cuadro de los procesos no muestra a manufactura como uno de sus procesos principales sino más bien como un subproceso de despacho de pedidos — apenas uno de los subprocesos que tienen que realizarse para entregarle fichas al cliente. Ventas tampoco aparece en el cuadro. Ventas no es un proceso sino un departamento, un conjunto de personas. Sin embargo, los vendedores intervienen en muchos de los procesos. Intervienen en despacho de pedidos porque otro subproceso de despacho de pedidos es adquisición de pedidos, que realiza principalmente el personal de ventas. También tiene éste que ver con los procesos de comunicaciones con el cliente y con desarrollo de producto.

Es evidente, pues, que este gráfico no muestra todo lo que ocurre en TI. Sólo muestra los procesos de alto nivel, pero cada uno de éstos puede estallar en varios subprocesos — generalmente no más de una media docena — que se representan en gráficos adicionales. En conjunto, los gráficos de procesos y subprocesos dan una visión sencilla pero real de lo que hace TI — o cualquier otra compañía.

No se necesitan meses de trabajo para trazar gráficos de procesos; lo normal son varias semanas. Pero sí es una labor difícil porque exige pensar a contrapelo de la organización. No es un retrato de la compañía, que es lo que la gente está acostumbrada a ver y dibujar, sino una descripción del trabajo que se lleva a cabo. Cuando se termina, el gráfico no debe sorprender a nadie. En efecto, muchos se preguntan por qué se tardó tanto en producirlo, porque una vez terminado, es muy fácil de entender, y hasta obvio. Los que lo ven deben decir: "Naturalmente, eso no es más que un modelo de lo que hacemos aquí".

ESCOGER EL PROCESO PARA REDISEÑAR

Una vez que los procesos se identifican y se diagraman, resolver cuáles necesitan reingeniería y el orden que se debe seguir en ello no es una parte trivial del esfuerzo. Ninguna compañía puede rediseñar todos sus procesos de alto nivel simultáneamente. Lo corriente es que se apliquen tres criterios para escoger. El primero es disfunción: ¿Qué procesos están en mayores dificultades? El segundo es importancia: ¿Cuáles ejercen el mayor impacto en los clientes de la empresa? El tercero es factibilidad: ¿Cuáles de los procesos de la compañía son en este momento más susceptibles de una feliz reingeniería?

Procesos quebrantados: En la busca de disfunciones, los procesos más obvios que se deben considerar son aquéllos que los ejecutivos de la empresa ya saben que están en dificultades. Por lo general, se sabe muy bien cuáles necesitan reingeniería. Los síntomas se ven por todas partes, y no es fácil pasarlos por alto.

Un proceso de desarrollo de producto que no ha producido nada nuevo en cinco años se puede considerar que está quebrantado. Si los empleados dedican tiempo a teclear datos de una transcripción de computador en una terminal de otro computador, o de una terminal a otra, probablemente el proceso en que están trabajando, cualquiera que sea, está quebrantado. Si las paredes de los cubículos de los empleados y sus pantallas de computador están empapelados con notas para recordarles que hay que corregir esto o investigar aquello, el proceso a que se dedican probablemente también está quebrantado.

Examinemos algunos de estos síntomas de procesos en dificultades y veamos cuáles son las enfermedades que los aquejan:

Síntoma: Extenso intercambio de información, redundancia de datos, tecleo repetido.
Enfermedad: Fragmentación arbitraria de un proceso natural.

Cuando los empleados se dedican a teclear en un computador datos tomados de otro, esto es síntoma de lo que nosotros llamamos "enfermedad terminal". La reacción típica de un gerente que quiere eficiencia es buscar la manera de reteclear el material más rápidamente, o si se orienta más a la tecnología, buscar una manera de conectar las terminales de modo que el material pase electrónicamente de un sistema al otro. Ambas soluciones tratan el síntoma, no la enfermedad.

Cuando la misma información va y viene entre diversos grupos de la organización — sea que se reteclee cada vez o sea que se transmita electrónicamente —, esto indica que una actividad natural ha sido fragmentada. Las unidades organizacionales bien diseñadas deben enviarse mutuamente productos terminados. Las comunicaciones extensas son una manera de hacer frente a fronteras artificiales. Lo que hay que hacer para arreglar el problema es volver a juntar las piezas de tal actividad. Otra denominación de esa tarea es integración funcional cruzada, que les permite a las organizaciones captar los datos una sola vez y luego compartirlos, en vez de hallar maneras más rápidas de mandarlos de acá para allá.

La enfermedad terminal no afecta únicamente a la información computadorizada. Si los empleados de distintas dependencias tienen que telefonearse mutuamente con frecuencia o enviar un montón de memorandos o mensajes electrónicos, eso probablemente significa que un proceso natural se ha dividido en forma inconveniente. Una respuesta típica a esta forma de enfermedad terminal es darles a las personas afectadas más medios de comunicación: otra línea telefónica, una máquina fax mejor, etc. Pero eso trata el síntoma, no la enfermedad. En realidad, muchas veces los nuevos aparatos ni siquiera tratan los síntomas. Nuestra versión de la ley de Parkinson dice que "el trabajo se expande para ocupar la cantidad de *equipos* disponibles para su terminación". Désele a la gente mayor capacidad de comunicación y se comunicará más, pero seguirá sintiendo que todavía no es suficiente.

El hecho es que, aunque la colaboración puede ser necesaria para algunos procesos, los empleados no deben llamarse mutuamente *más* sino *menos*. Para tratar la enfermedad debemos averiguar por qué necesitan llamarse con tanta frecuencia. Si lo que hacen está tan íntimamente relacionado, tal vez lo deba hacer una sola persona, un trabajador de caso o un equipo de caso.

Las buenas fronteras organizacionales deben ser relativamente opacas. En otros términos, lo que ocurre en una unidad no debe estar a la vista de los que están por fuera ni importarles mucho. Las empresas deben tener un delgado canal de comunicación que las conecte con el resto del mundo. Si las fronteras entre dos o más unidades tienen que ser transparentes la una para la otra, entonces probablemente no deben ser unidades distintas.

Síntoma: Inventarios, reservas y otros activos.
Enfermedad: Reservas del sistema para la incertidumbre.

Muchas compañías están adoptando el sistema de inventario "justo a tiempo"; hasta ahora habían tenido en su mayoría inventarios de previsión. Las compañías, y las organizaciones que hay dentro de ellas, saben que tendrán que entregarles su producto a sus clientes, internos o externos; pero como no están seguras de cuándo se presentará la demanda y cuánto va a querer el cliente, siempre guardan en alguna parte un poquito extra (a veces más de un poquito). No nos referimos únicamente a activos materiales. La gente tiene escondites de reserva de trabajo, de información y hasta de trabajadores extra por si se presenta una demanda inesperada.

La reacción convencional al inventario de previsión es crear mejores instrumentos de administración de existencias. Pero en lo que la compañía realmente debiera reforzarse es en acabar con el inventario, cuya única razón de ser es cubrir los faltantes que la incertidumbre introduce en el sistema. Si se acaba con la incertidumbre, no habrá faltantes por los cuales preocuparse, y no necesitaremos inventario.

Una manera de eliminar la incertidumbre es estructurar los procesos de manera que los proveedores y los clientes planifiquen y programen juntos su respectivo trabajo.

Síntoma: Alta relación de comprobación y control con valor agregado.
Enfermedad: Fragmentación.

En las organizaciones se hace muchísimo trabajo que no le agrega valor alguno al producto o servicio de la compañía. Tenemos una prueba fácil para distinguir el trabajo que agrega valor del que no lo agrega, y es ponerse en el lugar del cliente y decir: "¿Me importa eso?" Si la respuesta es negativa, el trabajo no agrega valor. ¿Qué le importan al cliente los controles internos de una compañía, sus auditorías, su gerencia y sus relaciones de dependencia? Absolutamente nada. Todo ese trabajo de comprobación y control no beneficia al cliente, sólo a la compañía. No contribuye al valor del producto o servicio.

Como las compañías se componen de personas, es inevitable que haya cierta cantidad de comprobación y control. La cuestión no es saber si se hace en la organización trabajo que no agrega valor, sino si éste constituye una parte demasiado grande del trabajo total de la compañía.

Desde luego, la comprobación y el control son los síntomas, no la enfermedad. La causa fundamental — la razón por la cual los ejecutivos y los administradores creen que tienen que hacer trabajos de comprobación y control — es la incompetencia y la desconfianza que resultan de la fragmentación. El objetivo de la reingeniería no es hacer más eficaces la comprobación y el control sino eliminar sus causas.

Síntoma: Repetición del trabajo.
Enfermedad: Retroinformación inadecuada a lo largo de las cadenas.

La repetición del trabajo implica volver a hacer lo que ya se había hecho — como volver a pintar una pieza porque se pintó del color que no era o volver a redactar un documento varias veces. Con mucha frecuencia, es consecuencia de retroinformación inadecuada en un largo proceso de trabajo. No se detectan los problemas cuando se presentan sino mucho después en el proceso, lo cual exige que varios pasos se vuelvan a repetir.

El objetivo de la reingeniería no es que la repetición se haga con mayor eficiencia, sino eliminarla totalmente acabando con los errores y las confusiones que la hacen necesaria.

Síntoma: Complejidad, excepciones y casos especiales.
Enfermedad: Acumulación a una base sencilla.

Cuando se inicia un proceso, lo corriente es que sea sencillo, pero con el tiempo se complica, pues cada vez que hay un tropiezo o surge una dificultad, alguna persona modifica el proceso agregándole un caso especial o una regla para hacer frente a las excepciones. Pronto lo que era un proceso sencillo queda sepultado bajo las excepciones y casos especiales. Entonces luchamos por simplificar lo que se ha vuelto increíblemente complicado, pero no podemos.

En la reingeniería destapamos y restauramos el proceso original, nítido, y luego creamos otros procesos para otras situaciones. Eso significa que tendremos dos o más procesos en vez de uno solo.

Las organizaciones se han acostumbrado a la estandarización, que significa tratar de satisfacer toda contingencia con un solo proceso. Crean un proceso estándar y complicado que contiene puntos de decisión en toda su extensión. Hoy sabemos que en diseño de proceso es mejor instalar primero un punto de decisión que pueda encauzar el trabajo a lo largo de uno de varios procesos simples.

Los ejemplos anteriores identifican un conjunto de síntomas comunes que a menudo encontramos en las compañías, y las enfermedades o problemas correspondientes. Pero, como seguimos recalcando, la reingeniería es tanto un arte como una ciencia, y los síntomas no siempre llevan al médico organizacional a un diagnóstico acertado. A veces pueden desorientarlo seriamente. En una de las organizaciones con que trabajamos, los procesos de despacho de pedidos adolecían de graves defectos, pero los clientes de la empresa no creían que tal fuera el caso; al contrario, el proceso les parecía magnífico porque recibían exactamente lo que pedían, y lo recibían a tiempo. Superficialmente el proceso parecía sano. ¿En qué radicaba el problema? En que las ventas de la compañía cojeaban malamente. ¿Estaba fallando el proceso de ventas? No. Lo que pasaba era que el proceso de despachos estaba en tan deplorables condiciones que los vendedores iban a la bodega, escogían lo que sus clientes necesitaban, y ellos mismos se encargaban de llevárselo. Esto complacía a los clientes, pero los vendedores estaban haciendo entregas en lugar de estar vendiendo.

En una situación así, llamamos la merma de ventas un síntoma secundario de *disfunción;* un proceso falla aquí, pero los síntomas aparecen más allá. Muchas veces existen pruebas de que un proceso no está funcionando, pero aparecen en un lugar distinto de donde sería lógico esperarlas. De modo que mientras los datos indican que *algo* está fallando, pueden no indicar precisamente *cuál* de los procesos es el que no está marchando bien.

Procesos importantes: La importancia, o el impacto en los clientes de fuera, es el segundo criterio que hay que considerar al decidir cuáles procesos se deben rediseñar y en qué orden. Hasta los procesos que les entregan su producto a los clientes dentro de la compañía pueden ser de primordial importancia y valor para clientes de fuera. Sin embargo, no se les puede preguntar sencillamente a esos clientes qué procesos son los más importantes para ellos porque aunque los clientes estén familiarizados con esta terminología de procesos, no tienen por qué conocer en detalle los procesos que utilizan sus proveedores.

En cambio, los clientes sí son una buena fuente de información para comparar la relativa importancia de diversos procesos. La compañía puede determinar qué cuestiones les interesan vivamente — cuestiones como costo del producto, entregas a tiempo, características del producto, etc. Estas cuestiones se pueden correlacionar con los procesos que más las afectan, como ayuda para hacer una lista de prioridades de los procesos que requieren reconstrucción.

Procesos factibles: El tercer criterio, factibilidad, implica considerar una serie de factores que determinan la probabilidad de que tenga éxito un esfuerzo particular de reingeniería. Uno de estos factores es el radio de influencia. En general, cuanto más grande sea un proceso — cuantas más unidades organizacionales intervengan en él — tanto mayor será su radio de influencia. Es posible un beneficio mayor cuando se rediseña un proceso de gran alcance, pero sus probabilidades de éxito son menores. Un amplio radio de influencia significa afectar a más organizaciones e involucrar a más gerentes que tienen sus propios programas.

De igual modo, un alto costo reduce la factibilidad. Un esfuerzo de reingeniería que requiera una importante inversión, en sistemas de procesamiento de información, por ejemplo, encontrará más obstáculos que otro que no necesite tanta inversión.

El vigor del equipo de reingeniería y el compromiso del dueño del proceso son también factores que hay que tener en cuenta al evaluar la factibilidad de rediseñar determinado proceso.

Debemos subrayar que el método que se utilice para decidir entre varias oportunidades de reingeniería no es un método formal. Los tres criterios que hemos esbozado — disfunción, importancia y factibilidad — deben aplicarse con discreción.

También podría preguntarse la administración si determinado proceso produce un efecto significativo en la dirección estratégica de la compañía. ¿Afecta en alto grado a la satisfacción del cliente? ¿El desempeño de la empresa en este proceso está muy por debajo de la norma de los mejores en su clase? ¿No puede sacar más del proceso sin rediseñarlo? ¿El proceso es anticuado? Cuantas más respuestas afirmativas se den a estas preguntas, tanto más fuerte es el argumento en favor de rediseñarlo. No hay dos organizaciones que les concedan igual importancia a todas estas preguntas; pero son el tipo de preguntas que los administradores deben plantear en su busca de oportunidades de reingeniería.

ENTENDER LOS PROCESOS

Una vez que se ha elegido un proceso para rediseñarlo, que se ha designado un dueño y se ha organizado un equipo, el paso siguiente no es rediseñar — todavía no; el paso siguiente del equipo es "entender" el proceso actual.

Antes de proceder a rediseñar, el equipo necesita saber ciertas cosas acerca del proceso existente: qué es lo que hace, cómo lo hace (bien o mal), y las cuestiones críticas que gobiernan su desempeño. Como la meta del equipo no es mejorar el proceso existente, no necesita analizarlo y documentarlo para exponerlo en todos sus detalles. Lo que necesita es más bien una visión de alto nivel, apenas lo suficiente para obtener la intuición y la penetración necesarias para crear un diseño totalmente nuevo y superior.

Uno de los errores más frecuentes que se cometen en esta etapa de reingeniería es que los equipos tratan de analizar un proceso en sus más mínimos detalles en lugar de tratar de entenderlo. Todos se inclinan a analizar porque ésa es una actividad que les es familiar. Sabemos hacerla, y nos hace sentir bien porque el análisis nos da la ilusión de progreso. Todas las mañanas llegamos a la oficina y tenemos llamadas que hacer, entrevistas concertadas, datos que representar en gráficos. Producimos grandes cantidades de papeleo, y nos sentimos muy cómodos y satisfechos. Pero el análisis no nos acerca necesariamente a una verdadera comprensión.

El análisis detallado de un proceso en la forma convencional puede ser útil para persuadir al resto de la organización de que la reingeniería es necesaria o deseable, pero ésa es una tarea que corresponde a gestión del cambio. Lo que el equipo busca ahora es conocimiento y penetración; de suerte que, por cuanto no tiene que hacer acopio de volúmenes de datos cuantitativos, entender el problema es menos complejo y menos dispendioso en tiempo que analizarlo. Sin embargo, no es menos difícil. En cierto sentido, entender es más difícil que analizar.

El análisis tradicional toma los insumos y los productos de un proceso como supuestos y mira sólo *dentro* del proceso para medir y examinar lo que ocurre. En cambio, entender el proceso no da nada por sentado. Un equipo de reingeniería que quiere *entender* un proceso no acepta el producto como un supuesto. Entender un proceso es, en parte, comprender qué hace el cliente con ese producto.

El mejor sitio para que un equipo de reingeniería empiece a entender un proceso es la posición del cliente. ¿Cuáles son los requisitos reales de los clientes? ¿Qué dicen que quieren y qué necesitan realmente, si las dos cosas no son lo mismo? ¿Qué procesos llevan a cabo con el producto que se les da? Como la meta final de la reingeniería es crear un proceso que satisfaga mejor las necesidades del cliente, es cuestión crítica que el equipo entienda muy bien esas necesidades. Esto no significa preguntarles a los clientes cuáles son éstas, pues sólo contestarán lo que ellos *creen* que quieren.

Por ejemplo, en el caso que discutimos antes, de la colaboración entre Wal-Mart y Procter & Gamble, P&G podría haberse contentado con preguntarle a Wal-Mart: "¿Cómo quieren que les hagamos las facturas?" O bien: "¿Quieren que las entregas sean más rápidas?"

Pero lo que las dos compañías hicieron fue preguntar: "¿Qué es lo que realmente le interesa a Wal-Mart?" La respuesta en este caso era: Maximizar sus utilidades en la venta de pañales. Entonces P&G se pudo preguntar: "¿Cómo les podemos ayudar a vender pañales con más utilidades? ¿Qué problemas tienen? ¿Qué necesitan?" Esto es muy distinto de decir: "¿Cómo les podemos ayudar a mejorar la calidad de sus relaciones actuales con nosotros?" Comprender significa considerar las metas y los problemas fundamentales de los clientes, no sólo la mecánica de los procesos que vinculan a las dos empresas.

Esta comprensión no se adquiere contentándose con preguntarles a los clientes qué desean, pues tenderán a contestar basándose en un modo de pensar que no se ha ampliado. Contestarán que quieren el producto o servicio, cualquiera que sea, un poco más rápidamente, o un poco mejor, o un poco menos costoso. Cuando se les pregunta, los clientes contestan con ideas no muy sorprendentes de mejoras incrementales de los procesos existentes. Y eso no es lo que busca un equipo de reingeniería.

Más bien, lo que un equipo de reingeniería tiene que hacer es entender a los clientes mejor de lo que ellos se entienden a sí mismos; y con ese fin, el equipo o algunos de sus miembros pueden pasarse a observar a los clientes, o, realmente, a trabajar con ellos en su propio ambiente. Proceder así es otra forma en que lograr comprensión se diferencia de realizar un análisis.

En el análisis tradicional se obtiene información en entrevistas que se celebran en oficinas o salas de conferencias, pero no se entrevista a nadie en los verdaderos lugares de trabajo porque éstos se consideran demasiado ruidosos y distraen la atención. Sin embargo, lo que los entrevistados les dicen a los analizadores es lo que ellos *creen* que deben estar haciendo, lo que buenamente recuerdan o lo que les han dicho que contesten; pero no dicen qué es lo que realmente hacen. Lo que la gente hace y lo que dice que hace no son casi nunca lo mismo.

Una mejor manera de adquirir información sobre lo que hacen los clientes es *observarlos.* Y mejor aún, que los miembros del equipo lo hagan ellos mismos. Ni la observación ni la participación los hará expertos en unos pocos días o semanas, pero así se forman una idea más cabal de lo que es o no es importante que por medio de una entrevista.

Estar allí, no solamente oír hablar de estar allí, les permite a los miembros del equipo ver más allá de las anteojeras de los clientes y de sus propios prejuicios. No se trata de aprender a hacer el trabajo del cliente sino de entender su negocio — y recoger ideas.

Las ideas surgirán cuando los miembros de un equipo vean y entiendan cómo utiliza el cliente el producto del proceso. Por ejemplo, si el cliente tiene que desarmar parcialmente el producto antes de usarlo, lo probable es que el producto debiera habérsele despachado sólo parcialmente armado. El equipo busca ideas acerca de cómo el proceso puede servir mejor al cliente.

Una vez que el equipo entienda lo que podría necesitar el cliente del proceso, el paso siguiente es averiguar qué es lo que le da el proceso actual — entender el proceso mismo.

La meta es entender el qué y el porqué del proceso, no el cómo, pues al rediseñar, al equipo le interesa menos saber cómo funciona el proceso actualmente que determinar qué tendrá que hacer el nuevo proceso. Sabiendo qué y por qué, el equipo puede iniciar su reingeniería con una hoja de papel en blanco. Para aprender el qué y el porqué, el equipo puede tomar casi todo lo que acabamos de decir sobre observar y participar en el trabajo del cliente y aplicarlo al proceso mismo. Observar y ejecutar el proceso es la mejor manera de entenderlo. Sin embargo, hay que estar alerta y no caer en la tentación de estudiarlo demasiado. La meta tiene que ser pasar rápidamente a reingeniería.

Antes de terminar, debemos hablar de otro instrumento que tienen a su disposición los equipos de reingeniería: referenciar. En su esencia, referenciar significa buscar compañías que estén haciendo algo en forma óptima y averiguar cómo lo hacen para emular con ellas.

El problema es que esto puede restringir el pensamiento del equipo al marco de lo que ya se está haciendo en la industria de su propia empresa. Aspirando a ser sólo tan buenos como los mejores de esa industria, el equipo límita sus propias aspiraciones. Si se usa en esta forma, referenciar no será más que un instrumento para alcanzar a otro, no para ir muy adelante de todos.

Con todo, un equipo puede generar muchas ideas nuevas en esta forma, sobre todo si toma como punto de referencia a compañías de fuera de su propia industria. Por ejemplo, la idea en torno a la cual Hewlett-Packard rediseñó su proceso de compra de materiales provino de un alto gerente que salió de la industria automovilística para entrar en la compañía, y llevó una manera de pensar totalmente distinta — y un nuevo modelo de compras.

Si el equipo resuelve referenciar, debe hacerlo tomando como puntos de referencia a los mejores del mundo, no a los mejores de su industria. Si la compañía del equipo está en el negocio de bienes de consumo empacados, la cuestión no es saber quién es el mejor desarrollador de productos en bienes empacados sino quién es el mejor desarrollador de productos — y punto. Ésa será la compañía de la cual el equipo podría obtener grandes ideas.

Cuentan que cuando Xerox decidió mejorar su proceso de despacho de pedidos no se comparó a sí misma con otras compañías de copiadoras, sino con la minorista de ropa L. L. Bean, de ventas por correo.

Hay todavía otro peligro en referenciar *[benchmarking]* para generar nuevas ideas. ¿Qué pasa si referenciar no produce una idea nueva? Es posible que en otra compañía nadie haya tenido aún una gran idea aplicable al proceso que el equipo quiere rediseñar. Pero aun cuando así fuera, eso no justificaría que el equipo se sintiera exonerado de responsabilidad. Por el contrario, los miembros deben considerarlo un reto y decirse que *ellos* sí pueden crear un nuevo punto de referencia de categoría mundial.

Téngase en cuenta que al diagnosticar los procesos actuales de la compañía, el equipo de reingeniería aprende mucho acerca de ellos, pero no tanto como para que los pueda arreglar. Los viejos procesos sólo se pueden corregir hasta cierto punto antes de que el beneficio marginal deje de valer la pena. Además, los equipos de reingeniería no buscan beneficios marginales sino mejoras gigantescas. Tan sólo corregir lo viejo no basta.

El equipo estudia los procesos existentes, a fin de aprender y entender lo que es crítico en su ejecución. Cuanto más sepan los miembros acerca de los objetivos reales de un proceso, tanto mejor capacitados estarán para rediseñarlo.

CAPÍTULO 8

EXPERIENCIA DE REINGENIERÍA DE PROCESOS

Lo más emocionante y al mismo tiempo lo más aterrador que hay para un escritor es una hoja de papel en blanco, o una pantalla de computador en blanco. Para un equipo de reingeniería, lo es su primera reunión. Todo lo que tiene que hacer en ella es empezar a formar una nueva visualización de la compañía y a inventar una nueva manera de hacer su trabajo.

Ésta es la parte más creativa de todo el proceso de reingeniería. Exige, más que cualquier otra, imaginación, pensamiento inductivo y un toque de chifladura. Para rediseñar procesos el equipo abandona lo familiar y busca lo escandaloso. La reingeniería les pide a los miembros, especialmente a los de adentro, que dejen su fe en las reglas, en los procedimientos y en los valores que han observado durante toda su vida de trabajo. La reingeniería atemoriza precisamente porque el equipo puede hacer cuanto le venga en gana.

La mala noticia de rediseñar un proceso de trabajo es que no es una cuestión de aritmética o de rutina. No existen procedimientos de siete o de diez pasos que produzcan mecánicamente un diseño de proceso radicalmente distinto.

La buena noticia es que, si bien puede requerir creatividad, no es necesario empezar con una pizarra totalmente en blanco: Ya han hecho reingeniería un número suficiente de compañías como para que podamos columbrar ciertas pautas que se repiten en los procesos rediseñados. Técnicas que han resultado eficaces en algunas compañías funcionarán también en otras, por lo menos en parte; entonces, aunque no haya reglas fijas, sí conocemos los principios en que se basa la reingeniería, y ahora tenemos algunos precedentes.

Cualquiera que haya pasado por una facultad de administración o haya tenido unos años de experiencia administrativa en una corporación puede diseñar un proceso tradicional porque existen reglas bien conocidas para ello. Por ejemplo, sabemos casi intuitivamente que en un proceso tradicional, el trabajo se debe dividir en tareas simples; conocemos los límites del tramo de control de un gerente; sabemos de economías de escala, de la necesidad de control, de la responsabilidad y la preparación de presupuestos. Dada una actividad comercial — por ejemplo, pagarles a vendedores por materiales recibidos — casi cualquiera que haya estado un tiempo en el negocio puede diseñar un proceso tradicional para ejecutarla.

Resulta que los procesos no tradicionales también contienen características y temas que se repiten. Todavía no son muchos los que saben cuáles son éstos, pero son un reflejo de los principios de reingeniería que hemos venido discutiendo a lo largo de este libro.

Algún día las características de los procesos rediseñados serán tan obvias y tan bien conocidas como lo son hoy las de los procesos tradicionales. La razón de que no sean aún obvias para mucha gente es que son nuevas. No han entrado todavía a formar parte de la sabiduría popular colectiva.

¿Cómo procede, pues, un equipo de reingeniería? Es el primer día que se reúne; los miembros se encuentran en la sala de juntas, hay café recién hecho, el tablero está en blanco. ¿Por dónde se empieza?

La reingeniería de procesos es emocionante a causa de sus efectos potenciales sobre la compañía, pero no tiene por qué asustar. Nosotros hemos desarrollado técnicas de las cuales los equipos se pueden valer para iniciar sus tareas, y tenemos algunas ideas sobre cómo estimular la creatividad de los miembros en su trabajo.

En este capítulo manejaremos la reingeniería en dos formas: La primera: Le presentaremos al lector una escena que ilustra cómo podría ser el primer día de una sesión de reingeniería. Nuestro objetivo es dar la sensación de lo que es el proceso de reingeniería y demostrar por qué no tiene que ser misterioso ni asustar. En seguida introduciremos algunos de los mecanismos y técnicas que otros equipos de reingeniería han encontrado útiles.

LA SESIÓN DE REINGENIERÍA

Escena: Una reunión del equipo de reingeniería en Imperial Insurance, compañía de seguros de automóvil ficticia pero representativa. El objeto del equipo es rediseñar el proceso de indemnizaciones por accidentes en Imperial, cuyos pagos por este concepto se han ido por las nubes en los últimos años. Imagínese usted que ésta es la sesión inicial del equipo y que usted es un visitante de fuera. Lo único que sabe sobre el negocio de seguros es lo que sabe cualquier persona, más unas pocas cosas que el capitán del equipo explica al empezar la sesión.

En primer lugar, dice el capitán, Imperial cree que está pagando demasiado por arreglar las reclamaciones por accidentes automovilísticos. Los pagos son de dos tipos generales: por lesiones personales y por daños materiales. En ambas categorías los costos están subiendo rápidamente.

Como los cuidados médicos son hoy muy caros, no debe sorprender, dice el líder, que las indemnizaciones por lesiones personales resulten más costosas; pero el aumento de los pagos por daños a los vehículos sí resulta paradójico, pues desde hace unos años los clientes han venido comprando pólizas con deducibles más altos, por lo cual era de suponer que los costos de indemnización bajaran. Pero no fue así, sino que subieron. Parece que los clientes compran las pólizas con deducibles más altos para que las primas les resulten más bajas, pero en caso de accidente, de todos modos pretenden que la compañía pague el costo total de las reparaciones. Persuaden al taller de carrocerías de que les hagan un presupuesto lo suficientemente alto como para cubrir tanto el costo real de las reparaciones como el valor de todo el deducible, o por lo menos parte de él.

En segundo lugar, dice el capitán, Imperial tiene problemas internos de costos. Por cada 7 dólares de indemnización que paga, gasta 1 dólar en sólo tramitar la reclamación. Además, necesita en promedio cuarenta días para resolver cada caso, y eso si el reclamante no resuelve litigar.

El capitán describe luego muy brevemente el proceso de liquidación de indemnizaciones de Imperial. Cuando ocurre un accidente, el interesado llama primero a su agente de seguros, quien a su vez notifica a la compañía. Pueden pasar tres días para que la compañía reciba la notificación por correo, por teléfono o personalmente; para darle entrada en el computador; y para designar a un liquidador idóneo que se encargue del caso.

Una vez designado el liquidador, su primer deber es verificar si la póliza del reclamante estaba vigente en el momento del accidente. Si no lo estaba, el proceso termina ahí. Si estaba vigente, el proceso continúa.

La serie de tareas que siguen se reducen en esencia a contestar dos preguntas básicas: ¿Cuál de las compañías de seguros tiene que pagar? y ¿Cuánto va a costar la liquidación?

Para calcular los costos, el liquidador discute las lesiones y su tratamiento con los médicos y con los heridos, e inicia un peritaje para apreciar el valor de la reparación de los vehículos. Para esto se necesitan muchas diligencias telefónicas.

Para determinar quién tuvo la culpa, el liquidador concierta entrevistas con el asegurado, con cualquier otro reclamante, con testigos, y con la policía; probablemente hará también varias visitas a todas estas personas y al lugar del accidente.

Muchas variables afectan a la determinación de los costos, tanto de reparaciones como de lesiones personales: ¿Cuánta reparación necesitan realmente los automóviles? ¿Tenemos que usar piezas pedidas a la fábrica o podemos obtenerlas en el mercado de repuestos y accesorios? ¿Cuánto tratamiento médico es suficiente?

Ninguna de estas preguntas se puede contestar fácilmente, y lo corriente es que el liquidador tarde treinta y cinco días a partir de la fecha del accidente, hasta que reúna suficiente información para decidir si se le debe proponer un arreglo al reclamante, y, en ese caso, cuánto ofrecerle.

Si todos aceptan el arreglo propuesto, el proceso termina, habiendo durado, en promedio, más de cuarenta días; pero si el reclamante resuelve entablar juicio, el proceso se alarga interminablemente. No es raro que un caso de éstos dure cinco años.

Según el capitán, el promedio de costo por indemnización para Imperial es de 3 500 dólares. Los costos internos de llegar a un acuerdo son, en promedio, 500 dólares.

Y esto es todo lo que usted y los miembros del equipo saben sobre el proceso de liquidación de indemnizaciones de Imperial, que es típico de la industria. La tarea del equipo de reingeniería es rediseñarlo de modo que el negocio de seguros de automóvil resulte rentable para la compañía. Los asistentes a la reunión se miran unos a otros y ven los tacos de papel en blanco que tienen sobre la mesa. ¿Por dónde empezar?

— Separemos los casos de lesiones personales de los de sólo daños materiales — sugiere uno de los miembros —. Las lesiones personales constituyen nuestro mayor riesgo.

— Entonces ¿por qué no seleccionar por riesgo? — dice su vecino —. Riesgo grande, riesgo pequeño. A veces puede haber pocas lesiones o ninguna, pero en cambio, los daños materiales pueden ser grandes.

— Está bien — dice el capitán —. Podríamos seleccionar por riesgo. ¿Riesgo pequeño sería qué? Digamos, ninguna lesión personal y poco daño. Riesgo grande sería todo lo demás. Si hacemos esto ¿qué pasa? ¿Cómo manejaríamos las dos clases de reclamaciones de distinta manera?

Una señora que está al otro lado de la mesa interviene:

— Actualmente, con costos indirectos y todo lo demás, nos cuesta más o menos lo mismo por hora de trabajo atender a un caso pequeño que a uno grande; así que yo diría, salgamos rápidamente de los pequeños. No vale la pena gastarles mucho tiempo.

— ¿Y qué tal que no los manejáramos en absoluto? — apunta uno que está al extremo de la mesa —. Los podríamos pagar sin más ni más, siempre que no pasaran de una suma determinada.

— No sé — responde el capitán —. ¿Qué ocurriría en ese caso?

— *Algo* tenemos que hacer — dice la dama que está frente a usted.

— Que lo haga el agente — propone el del extremo de la mesa —. Si la reclamación es inferior a determinada suma, que el agente pague. Así la liquidación es más rápida, el agente consolida sus buenas relaciones con el cliente y nosotros no gastamos absolutamente ningún tiempo.

El capitán toma notas en el tablero cuando el funcionario que está a la izquierda de usted toma la palabra:

— Que se encargue el taller de reparaciones.

Todos lo miran. Los talleres de carrocerías no han sido jamás amigos de las compañías de seguros. Después de unos momentos de silencio, el capitán dice:

— Muy interesante; que se encargue el taller de carrocerías.

— Sí — afirma el proponente —. Ellos son, al fin y al cabo, los que fijan el precio de las reparaciones. Tal vez haya alguna manera de hacer que trabajen *para nosotros* en lugar de confabularse con los clientes que quieren desplumarnos.

¿Una idea loca? Tal vez no. Actualmente, cuando la carrocería sufre daños, Imperial manda un avaluador que examina los automóviles y determina el costo justo de las reparaciones; pero, al mismo tiempo, el cliente por su lado también pide presupuestos, y con frecuencia la compañía termina peleando con el cliente por el costo de la reparación. ¿Quién queda contento? Generalmente nadie.

Un funcionario de ventas declara que a él no le parece una idea loca.

— ¿Qué le damos al cliente? — pregunta —. Un cheque. Pero ¿qué es lo que el cliente quiere realmente? Su automóvil arreglado. Si pudiéramos clasificar estos casos, y si no hubiera lesiones personales sino sólo daños materiales pequeños, le diríamos al cliente: Llévelo a este taller de carrocerías y allí se lo arreglan, o mejor aún: Aquí tiene usted una lista de talleres aprobados; escoja el que más le convenga.

Naturalmente, no falta quien pregunte qué harían con el fraude — talleres que inflan las facturas o clientes que presentan reclamaciones por accidentes que jamás ocurrieron — y se suscita una larga discusión. El meollo de la idea que surge es éste: Primero, la compañía podría designar como proveedores preferidos algunos talleres que reconozcan el valor de un negocio constante y quieran conservarlo. Estos cooperarían con Imperial en un control estadístico periódico de precios y calidad de las reparaciones. En cuanto a los clientes tramposos, Imperial podría incluir la frecuencia de reclamaciones como parte del proceso de clasificación.

— Entonces — dice el capitán resumiendo — tenemos una idea que creemos que puede resultar. Establecemos un sistema de clasificación. Recibimos una reclamación por un accidente en que no ha habido lesiones personales sino sólo pequeños daños materiales. La presenta un cliente que en diez años no ha presentado ninguna, de modo que podemos dar por sentado que no se trata de un fraude. El riesgo no es grande. Y estamos bastante seguros de que el taller no nos va a estafar porque haremos una auditoría estadística. Entonces le mandamos al cliente una lista de talleres aprobados y pagamos la cuenta cuando nos llegue. Esto es bien sencillo, elimina muchos gastos administrativos, y podemos liquidar la indemnización en mucho menos tiempo.

Escribe en el tablero durante un minuto, y en seguida le pregunta al grupo si hay alguna otra cosa que se pueda hacer en cuanto a liquidar rápidamente las indemnizaciones.

En los procesos tradicionales de liquidación de seguros, el tiempo siempre se ha considerado importante. Muchos creen que cuanto más se demoren en pagar, tanto mejor porque la compañía retiene el dinero más tiempo y se beneficia con los réditos correspondientes.

— ¿Por qué queremos apresurar el proceso? — pregunta el capitán mirando al grupo. Un empleado que está al otro lado de usted y que hasta ahora no ha intervenido, responde:

— Yo le diré por qué: porque así podríamos evitar que el cliente acudiera a los abogados especializados en lesiones personales.

En la industria de seguros de automóvil, las estadísticas muestran que cuando hay abogados de por medio, el pago al cliente es muchas veces mayor que cuando no los hay.

— ¿Cuándo es más probable que el cliente busque un abogado? — prosigue el ponente —. Precisamente en los primeros días. Ha sufrido un accidente. Llama a su agente de seguros. Tiene los nervios de punta, está malhumorado y se siente desdichado. El agente anota muchísima información, y luego ¿qué pasa? Nada. Absolutamente nada. Nosotros gastamos la semana siguiente mandando papeles de aquí para allí, pero desde el punto de vista del reclamante, nadie está haciendo nada por él. Con razón que acuda a los abogados.

— Lo que realmente ocurre en esos primeros días — informa el capitán — es que los informes permanecen en canastas. Tenemos que encontrar a un liquidador idóneo, que tal vez esté de vacaciones u ocupado en otro caso. Sí, está ocurriendo algo, pero el cliente no lo ve, y también tenemos por ello gastos extra. De modo que si queremos acelerar el proceso, ¿qué hacemos?

Alguno sugiere que se instale una línea telefónica de llamadas gratis para los clientes, y que se le dé mucha publicidad. Otro propone que se creen equipos de investigación de accidentes que estén disponibles las 24 horas del día. Alguien sugiere que les den a los clientes teléfonos celulares para que puedan llamar desde sus coches. Uno dice que en las bolsas de aire de los automóviles se podrían instalar alarmas para comunicarse automáticamente con la compañía al inflarse la bolsa en un accidente. Alguno recomienda que se establezca una conexión con el sistema de comunicaciones de la policía para informar sobre los accidentes.

— Muy bien, muy bien — dice el capitán, y toma notas en el tablero —. La idea es obtener una rápida notificación del accidente. Pasemos revista a lo que tenemos desde el principio. Por un mecanismo u otro, comprimimos el tiempo requerido para iniciar el proceso de indemnización. Recibimos notificación temprana. Verificamos la vigencia de la póliza, allegamos datos básicos sobre los hechos, y luego procedemos a clasificar. ¿Que es un caso fácil? Pues que el agente pague o mande el auto a uno de nuestros talleres preferidos para que se encargue de las reparaciones. Pero ¿qué hacemos con los demás casos, los que no se pueden arreglar rápidamente? ¿Hay también aquí algunas reglas que se puedan quebrantar?

— Yo no entiendo gran cosa de seguros — dice usted interviniendo por primera vez en la discusión — pero, por lo que he oído, me parece que hay una regla que se debe abolir. Es la que dice que la compañía no hará nada por el damnificado hasta que se sepa quién tuvo la culpa del accidente. Desde el punto de vista del cliente, yo creo que la regla debe ser, arreglar primero el automóvil y después averiguar quién tuvo la culpa.

— Ésa es una buena exposición de una regla que se podría quebrantar — comenta el capitán —. ¿Qué tal que sencillamente elimináramos la regla? Tal vez no necesitemos reglas sobre lo que se ha de hacer primero. Empezaríamos a trabajar inmediatamente en ambos frentes: arreglar los daños y determinar la culpa. Para pagar no esperaríamos hasta que se aclare la culpabilidad.

— Un momento, un momento — apunta un miembro del equipo a quien no le hace ninguna gracia la idea de que la compañía pague más de lo que debe pagar.

Sigue otra larga discusión. El grupo llega a la conclusión de que, en algunos casos, la compañía podría fácilmente pagar más de lo que le corresponde, pero que en la mayoría de los casos recuperaría la suma por medio de la otra compañía de seguros. Además, el pago total seguiría siendo pequeño si la acción rápida reduce el número de demandas judiciales contra ella.

— ¿Qué otra cosa necesitamos hacer aquí? — pregunta el capitán —. ¿Cuál es el problema desde el punto de vista del reclamante? Nuestro visitante [usted] planteó este punto.

— Falta de contacto — contesta uno.

— ¿Cómo así?

— Podemos estar trabajando, pero el cliente cree que no se está haciendo nada.

— Supongamos que usted es el reclamante — sugiere el capitán —. Está en el hospital, le duele la espalda, no sabe qué es de su auto. ¿Cómo se siente? Pésimamente. ¿Qué debemos hacer?

— Mandarle a alguien que le tienda la mano — dice uno.

— Justo — dice otro —. En general, tenemos que abandonar la idea de que nuestra misión no consiste sino en mandar cheques. Nuestra meta tiene que cambiar. En lugar de mandar cheques, debe ser mantener a los clientes satisfechos.

— ¿Cómo hacemos eso? — pregunta el capitán.

— Resolviéndoles sus problemas.

— ¿De qué manera?

A continuación se habla mucho de cuáles son los problemas del reclamante y cómo se resuelven. Lo que la compañía hace actualmente, por ejemplo, es permitirles a los clientes cuyos vehículos se han estrellado que tomen en alquiler un auto mientras les arreglan el suyo. El grupo declara que eso no es resolverle el problema al cliente sino dejarlo que él lo resuelva por sí mismo, limitándonos nosotros a pagar después. De todas maneras, es costoso. El reclamante paga al por menor por alquilar un coche, mientras que nosotros podríamos hacer un trato más ventajoso con la agencia de alquiler de automóviles.

En este punto, el grupo resuelve ponerles nombres a los reclamantes para facilitar la discusión. José es el asegurado por Imperial y su auto sufrió daños. Lolita es la conductora del otro vehículo, y está asegurada por otra compañía. Su coche quedó totalmente destruido, y, además, ella está en el hospital con lesiones en el cuello y la espalda.

— Esto es lo que hacemos — dice un miembro del equipo —: José llama y dice que su auto quedó inservible. Nosotros le contestamos: "Oh, lo sentimos muchísimo. En el término de una hora le mandaremos uno de repuesto a la puerta de su casa". ¿Queda contento José? Encantado. Y nosotros economizamos dinero porque le vamos a mandar un auto de tamaño mediano, no el Lincoln que él tal vez hubiera contratado, y pagaremos 10 dólares diarios, no los 30 que le habría costado a él.

Tampoco olvida el grupo a Lolita. Imperial no es su aseguradora, pero en este punto nadie sabe quién va a tener que pagar, en fin de cuentas. ¿Qué quiere ser la compañía para Lolita? Una amiga cordial, dice el grupo. Lolita necesita ver en su cuarto de hospital a una persona de Imperial, bondadosa y considerada. El mensaje explícito es: Aquí estamos para ayudarle. ¿Y el mensaje implícito? No nos demande. Por lo demás, si le prestamos tan buen servicio, es posible que Lolita se pase a nuestra compañía, de modo que un proceso de indemnización se convierte en una oportunidad de ventas.

Una cosa que les gusta a los clientes, anota alguno, es no tener que entenderse con muchas personas distintas.

— ¿Qué tal que pudiéramos hacer las cosas de modo que se entendieran con una sola persona?

— Está bien. Podemos pensar en eso — responde el capitán.

El grupo discute la creación de un cargo que se llamaría gerente de caso. Lolita está en el hospital, y se preocupa por su automóvil. El gerente de caso se encargará del asunto. Lolita tiene muchos médicos, pero ninguno de ellos le puede resolver sus problemas extramédicos. El gerente de caso sí puede, y como está empapado de todo, verá que la paciente reciba buenos cuidados pero no cuidados innecesarios, lo cual significa que, por este aspecto, también economiza dinero la compañía.

Hasta aquí llega el equipo de reingeniería en su primera reunión. Los miembros no han terminado aún, desde luego; todavía tienen muchos números por analizar y muchos detalles por verificar, pero ha sido un buen comienzo. Pasaron su primera prueba seria, que era producir grandes ideas. No se enredaron en los viejos convencionalismos, se mostraron capaces de ver más allá de las narices y de pensar fuera de sus cuatro paredes. Y el capitán del equipo lo hizo bien insitándolos a hablar y a exponer ideas que a primera vista podrían parecer absurdas — como la de dejar que los talleres de carrocerías resolvieran los casos pequeños de reparaciones para los clientes sin investigación ni evaluaciones de la compañía. "Muy interesante", decía el capitán e invitaba a los circunstantes a llevar más adelante las ideas.

En este caso, los miembros del equipo emplearon una técnica que nosotros encontramos útil. Llevar a su lógica consecuencia un principio de reingeniería — el que dice que el trabajo se organiza mejor en torno a resultados que a tareas — para ver hasta dónde conduce. El resultado fue que obtuvieron una buena idea, la de involucrar a los talleres.

Examinemos ahora en qué forma el equipo podría haber aplicado otro principio de reingeniería. El que presentamos aquí no es ciertamente el único que podríamos utilizar; en realidad, uno de nuestros principales esfuerzos continuos es descubrir y exponer los principios en que se sustentan los procesos rediseñados.

Principio: En la ejecución de un proceso debe intervenir el menor número posible de personas.

No todos los procesos rediseñados terminan en manos de un solo trabajador, pero ésta no es una mala meta que perseguir.

Imaginemos que sólo hay una persona disponible para tramitar una reclamación de seguro. ¿Qué tareas habría que eliminar o combinar para que esto fuera posible? ¿Qué trabajo habría que trasladar afuera, por ejemplo, al taller de carrocerías? Si el equipo de reingeniería en Imperial hubiera aplicado este supuesto del trabajador único, también podría haber dado con la idea de un gerente de caso. En términos más generales, imaginemos que sólo hay una persona disponible para ejecutar todas las tareas necesarias para fabricar un producto. ¿Cómo las ejecutaría? ¿Qué ayuda necesitaría ese trabajador único? ¿Cómo le ayudaría la tecnología? Ésta es la clase de preguntas que generan grandes ideas.

Hacerse preguntas basadas en este principio y en otros principios de reingeniería y ver a dónde llevan las respuestas, es una técnica que pueden emplear los miembros del equipo de reingeniería para dar comienzo al proceso. El objeto de hacer esas preguntas no es obtener respuestas finales sino estimular la creatividad del grupo.

Otra técnica que encontramos útil para estimular el pensamiento de los miembros del grupo es identificar y descartar supuestos.

Los supuestos son creencias firmemente arraigadas que se encuentran subyacentes e incorporadas en casi todo proceso comercial existente. Por ejemplo, si a los vendedores de las sucursales no se les permite fijar las condiciones de un negocio, eso es consecuencia del supuesto de que los vendedores anteponen sus propios intereses económicos a los de la compañía, a fin de ganar una comisión. La práctica de pagarles a los proveedores sólo después de recibir sus facturas se basa en el supuesto de que sería imposible correlacionar directamente los artículos recibidos con las órdenes de compra. Si una compañía mantiene centros regionales de distribución es porque supone que tales centros prestan mejor servicio que una operación centralizada de distribución.

Un equipo de reingeniería puede probar volviendo al revés tales supuestos o prescindiendo de ellos del todo, y ver en dónde queda entonces el proceso que se propone rediseñar.

El equipo de Imperial Insurance cuestionó implícitamente el supuesto de que todos los talleres de carrocerías cobran más de lo justo, para ver qué pasos o tareas de su proceso se podrían eliminar. Igualmente, determinó qué había que hacer para invalidar el supuesto (en este caso, control periódico del desempeño de los talleres).

El equipo de Imperial cuestionó también el supuesto de que había que averiguar primero quién tuvo la culpa del accidente antes de pagarle a alguien. El resultado fue un proceso agilizado y más rápido.

Una consigna que se veía en las camisetas deportivas de los años 60 era: "Cuestionar la autoridad". Los dueños de procesos bien podrían darles a los miembros de sus equipos la versión equivalente de los años 90: "Cuestionar los supuestos".

Una tercera técnica que puede utilizar el equipo de reingeniería para estimular su propia creatividad es captar el poder destructivo de la informática.

Como lo subrayamos en el capítulo 5, las estructuras convencionales de los procesos reflejan las limitaciones de las tecnologías anteriores a la era de los computadores, en las cuales se basaba el diseño de esos procesos. Esas limitaciones — el número de copias con papel carbón que podía producir una mecanógrafa o la cantidad de información que se podía enviar por correo o por teléfono entre la oficina central y las regionales — están profundamente arraigadas en los procesos existentes. Cuando tratamos de mejorar esos procesos, todavía nos vemos con demasiada frecuencia constreñidos por ellas.

Los equipos de reingeniería pueden romper estas ataduras empezando con las capacidades de la moderna informática. Ver qué permite hacer la tecnología y luego determinar si eso le ayuda a repensar el proceso.

Por ejemplo, gracias a bases de datos conectadas por computador pudo Imperial verificar rápidamente el historial de presentación de reclamaciones de cualquier cliente y la naturaleza de los costos y las reparaciones que la compañía les ha pagado a los diversos talleres de automóviles. Teniendo en cuenta esa capacidad que antes no existía, el equipo de reingeniería de Imperial pudo reformar el proceso de evaluación de daños y perjuicios, que consumía mucho tiempo y era costoso y perjudicial para las relaciones de la compañía con sus clientes reclamantes.

Mencionamos tres tipos de técnicas que pueden utilizar los equipos de reingeniería para concebir ideas: Una: Aplicar audazmente uno o más principios de reingeniería; dos: Buscar y destruir supuestos; y tres: Buscar oportunidades de aplicación creativa de la tecnología. A medida que avanza la reingeniería, los equipos pueden volver a esas técnicas para estimular pensamiento adicional o salir de un atolladero.

Si bien Imperial Insurance es una compañía ficticia, las ideas que hemos mencionado en la discusión son todas factibles. Todo lo que pensó el equipo de Imperial lo está considerando o lo está ejecutando en la actualidad una compañía de seguros real.

Fuera de las técnicas específicas arriba anotadas, el caso de Imperial enseña otras lecciones importantes relativas a reingeniería. En nuestros seminarios, les pedimos a los participantes que desempeñen los papeles de miembros del equipo de Imperial. Después, les decimos que reflexionen y que nos digan qué más, fuera de esas tres técnicas, aprendieron acerca de la experiencia de reingeniería. Es increíble con cuánta frecuencia obtenemos las mismas ocho respuestas. Esto es lo que suelen decirnos que han aprendido:

1. No se necesita ser un experto para rediseñar un proceso.
2. Es útil ser de fuera.
3. Hay que descartar las ideas preconcebidas.
4. Es importante ver las cosas con los ojos del cliente.
5. La reingeniería se hace mejor en equipos.
6. No se necesita saber mucho sobre el proceso existente.
7. No es difícil concebir buenas ideas.
8. La reingeniería puede ser divertida.

Sí, puede ser divertida, pero al fin llega la hora de la verdad, cuando el equipo tiene que explicarle lo que ha estado haciendo al resto de la compañía — a las personas que tendrán que acomodarse y vivir con los procesos rediseñados por el equipo. El equipo tiene que pasar de concebir ideas a ponerlas por obra. Esta parte del proceso tal vez no sea tan divertida.

CAPÍTULO 9

INICIACIÓN DE LA REINGENIERÍA

Hemos aplazado hasta ahora la discusión de un aspecto crucial de la reingeniería que realmente tiene que comenzar desde el principio del esfuerzo. La razón para haber esperado hasta ahora, cuando los lectores ya han adquirido una buena comprensión del poder y de la inmensidad de la reingeniería como herramienta para reinventar las compañías, es que de otra manera se les habría podido escapar fácilmente el significado de este tema. Lo que vamos a discutir ahora es el tremendo problema de persuadir a la gente dentro de una organización, de que acoja, o por lo menos que no obstaculice, la perspectiva de un cambio muy grande.

Hacer que la gente acepte la idea de un cambio radical en su vida de trabajo, en su empleo, no es una guerra que se gane en una sola batalla. Es una campaña educativa y de comunicaciones que acompaña a la reingeniería desde el principio hasta el fin. Es un trabajo de persuasión que comienza con la convicción de que es necesario rediseñar, y no termina hasta que los procesos rediseñados estén ya funcionando.

Según nuestra experiencia, las compañías que han tenido el mayor éxito en persuadir a sus empleados son las que han desarrollado los mensajes más claros sobre la necesidad de rediseñar. Los altos administradores de estas compañías han hecho el mejor trabajo de formular y exponer dos mensajes claves que tienen que comunicarle al personal que trabaja en sus organizaciones. El primero de ellos es: Aquí es donde estamos y ésta es la razón por la cual la compañía no puede quedarse donde está. El segundo es: Aquí es a donde tenemos que llegar como compañía.

El primero de estos mensajes tiene que ser un argumento convincente en favor del cambio. Tiene que llevar la idea de que rediseñar es indispensable para la supervivencia de la compañía. Éste es un requisito crucial porque los empleados que no estén convencidos de la necesidad del cambio no estarán inclinados a tolerarlo, e incluso pueden obstaculizarlo. El proceso de desarrollar este argumento trae la ventaja adicional de forzar a la administración a examinar desapasionadamente a la compañía y su desempeño en el contexto de un amplio ambiente competitivo.

El segundo mensaje, lo que la compañía tiene que llegar a ser, les da a los empleados una meta específica por la cual trabajar. Al exponerla, la administración se obliga a pensar claramente sobre el propósito de su programa de cambio y sobre el grado de cambio que se necesita efectuar mediante la reingeniería.

Tenemos nombres para los documentos que usan las compañías, a fin de plantear y comunicar estos dos mensajes esenciales. Al primero lo llamamos "argumento pro acción" y al segundo una "declaración de visión". Los nombres en sí no tienen importancia (las compañías les dan distintos nombres), pero el contenido sí es muy importante.

El argumento pro acción dice *por qué* hay que rediseñar la compañía. Debe ser conciso, global y persuasivo. No es simplemente que la compañía grite: "¡Viene el lobo!" Tiene que ser un verdadero *argumento* en favor de la acción: dramáticamente convincente, apoyado en hechos concretos, que plantee el costo de hacer cualquier cosa que no sea reingeniería. Si la compañía corre el peligro de perder su ventaja competitiva en cualquier rama de negocios, el argumento pro acción debe decirlo. Si ve erosionar continuamente sus márgenes de utilidad, el argumento pro acción debe mostrarlo. Si está abocada a un total fracaso, el argumento pro acción debe también decirlo claramente — pero solamente si es verdad. El documento debe presentar un argumento vigoroso, pero no puede exagerar. Debe ser tan persuasivo que nadie en la organización quede con la idea de que hay alguna alternativa distinta de la reingeniería. La mayoría de los hechos que aduzca probablemente no serán recién descubiertos, pero captarlos en un solo documento le hace ver a la gente que la organización realmente está en dificultades.

El argumento pro acción debe ser breve — cinco a diez páginas a lo sumo — y directo. Admiramos el siguiente, preparado por la alta administración de una compañía farmacéutica para convencer a sus empleados de que el proceso de investigación y desarrollo [I&D] de la organización tenía que cambiar radicalmente. Este argumento pro acción contiene todos los elementos que nosotros consideramos importantes, y la compañía los presenta con economía.

ARGUMENTO PRO ACCIÓN
COMPAÑÍA FARMACÉUTICA

- Estamos decepcionados por el largo tiempo que necesitamos para desarrollar y registrar nuevas drogas en los Estados Unidos y en otros mercados internacionales importantes.

- Nuestros principales competidores tienen ciclos de desarrollo mucho más cortos porque han establecido organizaciones globales integradas de I&D a gran escala, altamente flexibles, que operan con un conjunto de prácticas de trabajo y sistemas de información uniformes.

- La tendencia competitiva es contraria a nuestra familia de organizaciones de I&D, más pequeñas e independientes, localizadas en diversas compañías operativas descentralizadas alrededor del mundo.

- Tenemos fuertes incentivos competitivos y económicos para pasar lo más pronto posible a un modelo de operación globalmente integrado: Cada semana que ganemos en el proceso de desarrollo y registro extiende la vida comercial de nuestras patentes protectoras y representa como mínimo

1 millón de dólares adicionales al año de utilidades antes de impuestos — por cada droga de nuestro surtido.

El caso anterior tiene cinco elementos principales que aparecen en la mayor parte de los argumentos eficaces pro acción:

El *contexto comercial* resume y describe lo que está ocurriendo, lo que está cambiando y lo que es nuevamente importante en el ambiente en que opera la compañía. Nuestros principales competidores, dice el argumento, han establecido ciclos de desarrollo mucho más cortos.

El *problema comercial* es el origen de las preocupaciones de la compañía. Nuestra compañía — admite francamente el documento — tarda demasiado en desarrollar y patentar nuevas drogas.

El argumento pro acción explica igualmente las *demandas del mercado;* es decir, cómo las condiciones de dicho mercado han llevado a nuevos requisitos de desempeño que la compañía no puede satisfacer. La tendencia competitiva es contraria a nuestra práctica en cuanto a investigación y desarrollo, dice esta parte del documento.

La sección *diagnóstica* del argumento pro acción aclara por qué la compañía no está en capacidad de satisfacer los nuevos requisitos de desempeño y por qué no servirán de nada las técnicas habituales de remiendos, arreglos y mejoras incrementales. En este caso, la compañía farmacéutica está perdiendo su capacidad competitiva frente a organizaciones de I&D globalmente integradas.

Finalmente, para eliminar cualquier duda sobre la necesidad de rediseñar, el argumento termina con una sección que previene acerca de las consecuencias de no rediseñar, el *costo de la inacción.* Nos exponemos a perder 1 millón de dólares de utilidades anuales, por droga, por cada semana de tardanza en desarrollar y patentar, dice esta parte.

No hay necesidad de que una compañía se halle al borde de la quiebra para que presente un alegato convincente en favor de la reingeniería. Un argumento pro acción se puede hacer aun para una compañía que goce de prosperidad. Tal organización puede sostener que si no rediseña, *se verá* en dificultades, que ella no es tan buena como el mercado *exigirá* que sea, o que no es tan buena como ha resuelto y *quiere* ser. Éstas son posiciones más difíciles de sostener, lo cual sólo significa que el argumento pro acción en estos casos tiene que ser mucho más vigoroso y mejor presentado.

Reproducimos a continuación un argumento pro acción de una compañía de bienes de consumo que sigue siendo rentable. Presenta un cuadro desolador del futuro si la compañía no se rediseña. Este argumento pro acción es más largo que el de la compañía farmacéutica, pero es igualmente eficaz. Empieza con un vistazo general a la industria de la empresa.

ARGUMENTO PRO ACCIÓN
COMPAÑÍA DE BIENES DE CONSUMO

- Los mercados están cambiando tan rápidamente en nuestros canales minoristas que, para producirles un crecimiento rentable a nuestros distribuidores, tenemos que estar en capacidad de responder rápida y exactamente con programas apropiados.

- Cada uno de nuestros canales tiene necesidades únicas de productos y servicios innovadores, promociones, sistemas de comercialización y capacitación, que les permitan competir con éxito en sus respectivos mercados. Tenemos que desarrollar dentro de la compañía procesos flexibles que prosperen con estas oportunidades de canales específicos.

- Las necesidades y los deseos de los consumidores cambian constantemente sobre la base de nuevos formatos de ventas al por menor, estimulación por los medios de comunicación masiva, productos nuevos o de sustitución, cambios de estilos de vida y segmentación de los mercados. No podemos desarrollar un concepto de producto o solución al por menor que satisfaga a todo el mundo; productos que tienen gran éxito en un segmento del mercado resultan rechazados en otro.

Luego examina lógicamente los factores competitivos que indican la necesidad de un cambio:

- Hoy el tiempo que transcurre desde que hacemos evaluación de una necesidad del mercado hasta que hacemos la entrega de un nuevo programa al por menor es por lo menos dos años, y puede alargarse hasta tres. Además, el proceso es en gran parte en serie. Cada paso — interpretar datos de ventas al por menor e investigación; obtener compromisos; y obtener un acuerdo sobre producto, comercialización, promoción, publicidad, sistemas, capacitación y planes de lanzamiento — cruza muchas líneas de divisiones y requiere interminables reuniones y aprobaciones.

- En un mercado dinámico, un ciclo de planificación de tres años es inaceptable. Aun cuando un producto o programa parezca novedoso en las primeras etapas de planificación, no lo es cuando llega al consumidor veinticuatro o treinta y seis meses después. La retroinformación sobre el desempeño al por menor llega demasiado tarde para afectar a los productos de sustitución, y hace que un producto que no se comporta bien dure demasiado en el mercado.

- Con frecuencia, los límites de nuestro proceso de planificación y toma de decisiones son demasiado estrechos y no comprenden a muchos canales o minoristas específicos. Éstos suelen quedarse por fuera, o se agregan tarde en el proceso cuando nuestras opciones son limitadas.

- Muchas veces, cuando los programas llegan a menudeo, el pedido está atrasado, no hay mercancías ni comercialización, y el minorista o el personal de ventas carecen de entrenamiento para instalarlo debidamente o venderlo.

La compañía de productos de consumo termina declarando enfáticamente las consecuencias de no rediseñar:

- El proceso actual no puede hacer frente a nuestra creciente necesidad de rapidez y precisión. Produce, en cambio, tensión y fatiga en el personal, carreras a última hora, mayor procesamiento de excepciones y sistemas defectuosos. Le cuesta a la compañía millones de dólares en horas extra y gastos extraordinarios, entregas fallidas y desempeño y confianza menos que aceptables de los minoristas.

- Nos concentramos en maximizar nuestra propia eficacia en función de costos, más que en las necesidades y en el comportamiento del mercado. Hemos aplicado tecnología a mejorar lo que hacemos, con escasos resultados. Hemos medido el éxito por nuestro propio desempeño interno, más bien que por la medida de nuestros minoristas.

- Con sólo trabajar más asidua y eficientemente dentro de nuestro proceso actual no llegaremos a la meta de mejorar en forma espectacular el rendimiento del negocio al por menor.

- En la actualidad, nuestra empresa es todavía muy rentable, pero si no tomamos pronto medidas correctivas globales, nuestra prosperidad corre peligro. Sin un cambio muy grande, fracasaremos a la larga.

El argumento pro acción de esta compañía, dicho sea de paso, llevó a un esfuerzo global y eficaz de reingeniería.

Hemos dicho que hay dos componentes claves del mensaje importante que la alta administración debe comunicar a la organización para poner en marcha la reingeniería. El primero es la parte de "cambiemos esto": el argumento pro acción; el segundo es "a qué": la visión.

El argumento pro acción pinta a grandes pinceladas la naturaleza del problema que aqueja a la compañía. "Tenemos que poner en marcha un cambio", dice. La visión dice: "Aquí es a donde queremos llegar". Pinta el destino del esfuerzo de reingeniería.

La declaración de visión, llámese así o de cualquier otro modo, es el medio que la administración emplea para comunicar la idea del tipo de organización que la compañía debe llegar a ser. Describe cómo va a operar y qué resultados debe obtener. Es una declaración cualitativa, no menos que cuantitativa, que una compañía puede emplear una y otra vez antes y después de la reingeniería, como recordatorio de sus objetivos, como medida del progreso que se vaya realizando y como estímulo para mantener el esfuerzo en movimiento.

Para crear la visión de una organización rediseñada, se requiere cierto arte porque una visión es una imagen sin mucho detalle. Cuando la compañía está dando los primeros pasos de reingeniería, nadie sabe en realidad hacia dónde va; nadie sabe qué llegará a ser; nadie sabe siquiera qué aspectos de la actual compañía cambiarán, ni mucho menos cómo. Una visión es lo que la compañía cree que *quiere* alcanzar, y una visión bien planteada la sostiene en su decisión en medio de las tensiones del proceso.

La visión es una bandera alrededor de la cual se pueden congregar las tropas cuando empiezan a flaquear. "Piensen en lo bueno que va a ser esto cuando lleguemos", les dice. Actúa igualmente como un foco fijo que les recuerda constantemente qué es lo que la compañía trata de cambiar. Sin ella es fácil que la gente se descarrile. En toda compañía y en todo momento existen incontables procedimientos y detalles organizacionales que se *podrían* cambiar. La visión les recuerda qué procesos son los que realmente es necesario cambiar.

Por último, la visión sirve para medir el progreso de la reingeniería. ¿Se parece ya la compañía a su visión? Si se está acercando, la reingeniería está avanzando. Si no, entonces por más esfuerzo que se le haya dedicado no ha logrado el progreso con que se contaba. Presentando la visión, el líder puede decir: "Esto es lo que acordamos que queríamos ser. Miren en torno. ¿Ya llegamos? ¿Nos hemos acercado?" La visión es un estímulo útil. Y es verdaderamente poderosa; es una fuerza que arrastra.

Trabajando con compañías que han rediseñado sus procesos, hemos expresado declaraciones de visión en formas trilladas pero eficaces. Por ejemplo, con los programas de autoedición electrónica es fácil simular un artículo sobre una compañía, que supuestamente aparecerá en una revista de negocios dentro de cinco años. El artículo que escribimos podría decir que la compañía ha logrado utilidades sin precedentes y que se colocó a la cabeza de su industria recortando espectacularmente su ciclo de desarrollo de productos. Después diría cómo se siente uno trabajando para tal compañía y qué piensan los clientes y los empleados sobre los cambios que esto ha producido. Un artificio como éste capta la imaginación de los empleados. "Sí", dicen, "eso nos gustaría". Pues ése es el ideal, puede decir el líder, y esto es lo que tenemos que hacer para convertirlo en realidad.

Usados conjuntamente, el argumento pro acción y la visión actúan como cuña e imán. Para sacar a la gente de donde está y llevarla al lugar en donde debe estar se requieren dos acciones. Primero hay que desarraigarla de donde está, y para ello el instrumento es la cuña — el argumento pro acción. Luego hay que atraerla a otro punto de vista, y éste es el oficio del imán — la visión.

No hay necesidad de que las declaraciones de visión sean largas, pero sí deben ser vigorosas. Demasiadas declaraciones de corporaciones tienden a ser vagas y simplistas, y no dan clave alguna sobre lo que hay que hacer para alcanzarlas. "Queremos ser el número uno de nuestra industria" o "Queremos ser el mejor fabricante de esto o de lo otro" o "Seremos el proveedor preferido de nuestros clientes" son buenos deseos, pero no son visiones útiles. Esas declaraciones suelen ser el resultado del contacto anual con la naturaleza — aquellas ocasiones en que los ejecutivos de la compañía se retiran a reexaminar sus propósitos y a redactar lo que llaman una declaración de visión. Aunque sean bien intencionadas, esas declaraciones carecen de significado real. No sugieren concretamente cómo quiere operar la compañía, no tienen utilidad real, y muy pronto se desgastan.

Una visión poderosa contiene tres elementos de los cuales suele carecer el producto de una caminata en la campiña. Primero, se concentra en operaciones; segundo, contiene objetivos mensurables y medidas; y tercero, cambia la base de la competencia en la industria.

Uno de los mejores ejemplos de visión que conocemos lo dio Federal Express en su infancia: "Entregaremos el paquete antes de las 10:30 de la mañana siguiente". Se refiere a operaciones (entregaremos el paquete); tiene objetivos medibles (entregaremos antes de las 10:30 A.M.); y cambió la base de competencia en la industria (de tiempos largos e imprevisibles de entrega a entrega a la mañana siguiente). Esta forma de enunciar la visión le dijo al personal de la compañía que tenía que diseñar su trabajo para cumplir ese objetivo.

Las declaraciones de visión pueden ser mucho más largas,

como se ve en los ejemplos siguientes, sin ser flojas. Estos ejemplos tienen aristas bien definidas, no contienen lugares comunes e incluyen los tres elementos que hemos discutido. He aquí, para empezar, la de la compañía farmacéutica sobre su proceso de desarrollo de drogas en su versión reencarnada:

VISIÓN
COMPAÑÍA FARMACÉUTICA

- Somos líderes mundiales en desarrollo de drogas.
  — Hemos acortado el proceso de desarrollo y registro en seis meses, en promedio.
  — Somos líderes reconocidos en cuanto a la calidad de las solicitudes presentadas para registro.
  — Hemos maximizado el potencial de utilidades de nuestra cartera de desarrollo.

- Hemos creado con todas nuestras compañías operativas una organización mundial de I&D con estructuras administrativas y sistemas que nos permiten movilizar nuestros recursos colectivos de desarrollo con sensibilidad y en forma flexible.

  — Hemos establecido procesos uniformes y más disciplinados de planificación de desarrollo de drogas, toma de decisiones y procesos operativos, a través de todas las localidades.
  — Empleamos instrumentos novedosos, basados en tecnología, para sustentar nuestras prácticas de trabajo y administración, en todos los niveles y entre todos los puntos de I&D.
  — Hemos desarrollado y puesto en práctica una arquitectura común de informática en todo el mundo.

La compañía de bienes de consumo cuyo argumento pro acción examinamos en páginas anteriores, también enunció su visión del estado a que pretende llegar.

VISIÓN
FIRMA DE BIENES DE CONSUMO

- Operar cerca del mercado le inyecta nueva vida a todo el proceso de desarrollo de productos. Desarrollamos planes, tomamos decisiones, fabricamos productos y lanzamos programas con sentido de lo inmediato. Nuestros empleados se sienten recompensados cuando ven en las tiendas productos en que ellos trabajaron hace semanas o meses, pero no años.

- Nuestro enfoque en el mercado se afina porque nuestros programas totalmente integrados nunca están a más de un año de distancia del mercado. Nos impulsan las necesidades de nuestro mercado, y evaluamos nuestro éxito por nuestro desempeño al por menor: ventas al por menor, rentabilidad al por menor, servicio y ejecución al por menor.

- Equipos interdivisionales que trabajan simultáneamente refinan el proceso de planificación de desarrollo. Las prioridades son compatibles en todas las divisiones al concentrar nuestros esfuerzos en programas que mueven la aguja. Fijamos objetivos claros, e investigación de mercado nos da retroinformación inmediata sobre la manera como nos desempeñamos frente a dichos objetivos.

- La frescura de los productos que ofrecemos y su comercialización y ejecución coherentes les dan una ventaja competitiva a todos nuestros minoristas. Nuestra organización y nuestras cuentas están completamente preparadas en el proceso de ejecución y en las estrategias que sostienen nuestros programas, de suerte que pueden venderles a sus clientes con conocimiento y entusiasmo.

- Nuestros minoristas pueden ver que nuestros programas son de vanguardia, audaces y correctos para ellos. Observan inmediatamente el impacto en sus ventas y utilidades. Nuestros productos llegan completos, a tiempo y empacados para que su recibo y despliegue sean eficientes. Los responsables de su comercialización tienen los instrumentos y el entrenamiento necesarios. La asociación de nosotros con nuestros minoristas es tan fuerte que trabajamos por los mismos objetivos y tenemos las mismas medidas del éxito.

Dijimos que preparar y difundir el argumento pro acción y la visión constituyen el primer paso de reingeniería. Enunciar y comunicar estos mensajes claves es responsabilidad personal del líder. Sólo un individuo que tenga el prestigio y la autoridad de un líder puede forjar y comunicar estos argumentos críticos.

Los miembros del equipo de alta administración — los pares y colegas del líder — constituyen el primer auditorio. Para ellos, estos mensajes no son fáciles de oír porque les dicen que la organización que ellos dirigen necesita un cambio fundamental. Sólo un ejecutivo con mucha antigüedad tiene el prestigio y la autoridad para hacer tales afirmaciones. Un agente de fuera — un consultor — puede ayudar en este paso, pues no tiene prejuicios ni intereses creados, y se le verá como un tercero imparcial. Decirles a los altos administradores que su compañía está en malas condiciones es difícil, pues ellos son justamente los que han hecho lo que ella es, así que la diplomacia es tan importante como el prestigio para comunicarles el argumento pro acción y la visión.

Una vez que la alta administración escuche los mensajes, el resto de la organización también debe enterarse. El argumento pro acción y la visión son la primera andanada de un bombardeo de comunicaciones destinado a ganarse a toda la organización para el esfuerzo de reingeniería.

CAPÍTULO 10

EXPERIENCIA DE UNA COMPAÑÍA: HALLMARK

No hay dos compañías cuya situación comercial sea idéntica, ni dos que emprendan exactamente en la misma forma la reingeniería. Siempre nos sorprende el ingenio y la imaginación que aplican a su esfuerzo personas de distintas empresas. El único elemento absolutamente indispensable en todo proyecto de reingeniería es que se dirija a un proceso y no a una función. Mientras se cumpla este requisito, prácticamente todo lo demás se reduce a técnica — lo cual equivale a decir que es *bueno* si funciona para usted, y *malo* en caso contrario.

Hemos creído, por tanto, que la mejor manera de terminar este libro sería permitirle al lector compartir la experiencia de algunos precursores de la reingeniería, personas que ya han ejecutado un programa o que están actualmente en medio del penoso esfuerzo de reinventar el trabajo de su empresa. Presentamos a continuación cuatro casos con las palabras textuales de las personas que realmente hicieron la reingeniería; puede que las circunstancias que se describen no concuerden con las de la compañía de usted;

pero, de todos modos, entrañan enseñanzas que deben estimularlo, y tal vez hasta inspirarlo. Muestran que personas reales, en negocios reales, pueden aplicar los principios que hemos expuesto, para producir resultados comerciales extraordinarios. Estas cuatro narraciones se basan en transcripciones de conversaciones que hemos sostenido con los narradores. Hemos modificado ligeramente algunas de sus afirmaciones en consideración a la brevedad y la claridad.

Empezamos con la experiencia de Robert L. Stark, de Hallmark Cards, Inc., porque, en cierto modo, es la más notable. De los cuatro ejemplos, Hallmark es la única compañía a la cual le iba muy bien cuando resolvió rediseñar — no en respuesta a un problema que amenazara la vida de la empresa sino más bien como una medida de previsión para evitar problemas de esa clase en el futuro. Para Hallmark, rediseñar era una medida competitiva preventiva.

Hallmark Cards, Inc., fundada hace ochenta y tres años en Kansas City, domina en los Estados Unidos la industria de tarjetas de saludo y felicitación, y sus productos no están amenazados por competidores extranjeros, a pesar de lo cual está rediseñando casi todos los aspectos de sus operaciones con el objetivo de reducir extraordinariamente el tiempo que transcurre desde que se detecta una nueva necesidad del mercado hasta que se satisface con tarjetas en los anaqueles de los minoristas. Uno de los principales problemas que se le presentaban a Bob Stark, presidente del Grupo de Comunicaciones Personales (PCG) de Hallmark, era motivar a la compañía para que se rediseñara, no habiendo crisis alguna. "Eso es mucho más fácil cuando hay un peligro inminente", dice Stark, quien, a pesar de todo, logró entusiasmar a los ejecutivos de Hallmark con la perspectiva de rediseñar.

No es él un iluso radical. Entró a Hallmark en 1958 y ascendió en las filas. En 1984, lo nombraron jefe del negocio central de la compañía, que hoy se llama el PCG y comprende las marcas Hallmark y Ambassador, lo mismo que a Binney & Smith, subsidiaria de Hallmark y fabricante de los lápices de colores Crayola. En 1988, llegó a la presidencia. Ya entonces se estaban presentando rápidos cambios en el mercado de tarjetas de felicitación. Veamos cómo lo expresa Stark:

Nuestros mercados y canales de distribución habían sido razonablemente homogéneos durante largo tiempo, pero en los años 80, los consumidores empezaron a fragmentarse en muchísimos grupos, a la vez que nuestros canales de distribución se ampliaban. Nuestros once mil y pico distribuidores tenían que pagar arrendamientos más altos en los sectores y centros comerciales, lo cual significaba que debían mover más productos y más rápidamente. Minoristas tan importantes como Wal-Mart y K Mart le exigían también a nuestra división Ambassador programas individualizados de productos y marketing para todos sus miles de tiendas.

En 1989, se nos había hecho evidente la inmensa proliferación de productos de nuestra línea, resultado de habernos concentrado en nichos cada vez más pequeños. El número de unidades de inventario crecía más rápidamente que nuestro índice de ventas. En promedio, el tamaño de las tiradas disminuía, y eso alteraba la economía de nuestro negocio.

Una tirada grande exige muchísimo tiempo de preparación de las prensas, montaje, etc. Antiguamente, ocho horas para preparar la prensa y de veinte a veinticuatro horas para imprimir se consideraba una buena relación de preparación para el tiraje de la edición. Cuando el tiempo de impresión se redujo a ocho horas y el de preparación se quedó en las mismas ocho, nos vimos en una situación grave de desequilibrio, con toda clase de consecuencias sobre costos y capital.

Súbitamente se encuentra uno con que no tiene suficiente capacidad. Produce el mismo número total de unidades pero necesita más prensas. Una prensa grande puede costar cerca de 1 millón de dólares, así que si de pronto se necesitan de veinte a treinta nuevas, la inversión de capital se aumenta en forma significativa. Desde muy temprano nos dimos cuenta de que no podíamos seguir con esas relaciones de preparación a impresión.

Es más: sabíamos que el problema se agravaría. Para crecer a nuestro ritmo histórico necesitábamos nuevas líneas y mayor número de tarjetas, lo mismo que de productos conexos, a fin de satisfacer más segmentos del mercado, lo mismo que programas de marketing y de promoción adaptados a nuestros diferentes canales. Además, cuando los segmentos del mercado son menos homogéneos, es preciso responder a ellos más rápidamente, lo cual significa que uno tiene menos tiempo para averiguar cuáles productos son ganadores y cuáles perdedores. Pero cuando la oferta de productos se amplía tanto, la base histórica que uno tenía para predecir ventas flaquea súbitamente. Necesitábamos, pues, un nuevo instrumento de predicción para los nuevos segmentos y más rápida retroinformación del mercado al por menor.

En febrero de 1989, convoqué una reunión de cuarenta altos

ejecutivos para estudiar estos problemas. No era sólo una sesión de examen de conciencia. Sabíamos que teníamos que hablar acerca de los *procesos* de nuestros negocios — en qué partes estábamos bien y en qué partes mal. En cuanto a las segundas, queríamos visualizar cómo sería el futuro a la luz de nuestras preocupaciones relativas a proliferación de unidades de inventario, movimientos en los canales, etc.

Para nosotros era muy claro que existía una laguna entre la forma en que operaba la compañía y la meta a donde debía llegar. Llevar una nueva línea de tarjetas desde concepto hasta mercado tardaba de dos a tres años. Costosas revisiones de diseños, dibujo de letreros y materiales de impresión llegaban a cerca de 50 000 al año. Una vez que los productos estaban en los anaqueles, los datos sobre ventas llegaban muchas veces tarde — a veces con meses de retraso — para reponer los que se vendían bien, retirar los de venta lenta y proyectar nuevas líneas. La ventana de la oportunidad se cierra rápidamente en nuestro negocio. Los períodos de máxima venta en temporadas especiales, como por ejemplo el Día de San Valentín [Día de los Novios], duran sólo pocos días.

También llegamos a la conclusión de que mejorar un poquito cada año no nos resolvería nuestros problemas. Desde hacía tiempo veníamos mejorando una empresa funcionalmente orientada, pero si queríamos realizar un avance realmente decisivo y cambiar fundamentalmente nuestra manera de hacer negocios, los cambios tendrían que hacerse a través de todas estas funciones. Se requería un grado de conexión y cooperación que no había sido necesario anteriormente.

Los miembros del comité operativo y yo abrigábamos la convicción de que el futuro no se iba a parecer al pasado y que las soluciones del pasado seguramente no funcionarían en el futuro. Un refinamiento continuo — retocar aquí y allí cada departamento y cada tarea — no sería ya suficiente. Sólo un cambio radical en nuestra manera de proceder en el negocio podría remediar nuestra situación.

Teníamos que definir claramente qué era lo que debíamos realizar, y evaluar nuestras prioridades comerciales. También necesitábamos hacerles comprender a todos qué era lo que nos proponíamos, a fin de asegurar su cooperación. Al principio es difícil que la gente se interese en el concepto de reingeniería, pero cuando ve algo concreto se entusiasma. Por lo pronto, parece que nunca se va a lograr una comprensión común de la naturaleza de los problemas.

Desde temprano fue muy claro para nosotros que tendría que ser un esfuerzo de toda la compañía porque se requería trabajo interdivisional en equipo, de una magnitud que antes no habíamos experimentado. Yo, personalmente, tardé un poco en entender cabalmente el significado de lo que es realmente la reingeniería de nuestros procesos básicos interdivisionalmente y en toda la compañía. Hay una gran diferencia entre decir estas palabras y entender lo que significan.

Buscábamos grandes cambios en la manera de operar Hallmark: cómo trabajaban de común acuerdo nuestros artistas, editores y otras personas creadoras para concebir nuevos productos; cómo se allegaban y se usaban datos de ventas para mejorar la reposición de productos, el marketing y las campañas de promoción; cómo podíamos manejar la producción gráfica y los costos de producción en vista de la proliferación de nuestros productos; y cómo podríamos satisfacer las necesidades de los minoristas grandes, cada vez más exigentes. Para entender la magnitud de los cambios, le dimos el nombre de "El Viaje" a la transformación corporativa que nos proponíamos efectuar.

El comité operativo y yo dedicamos mucho tiempo a tratar de entender estas cuestiones. Después de eso, nuestro problema era comunicación: ¿Cómo hacerles entender a millares de personas lo que uno está haciendo? Teníamos que definir términos, producir un vocabulario y definir con mucha precisión y claridad los problemas de que se trataba.

Encontramos que teníamos que codificar y poner por escrito nuestras creencias, nuestros valores y nuestras metas estratégicas y qué relación tenían con nuestras prioridades comerciales. Lo que estábamos haciendo realmente guardaba relación directa con la mejora de nuestro desempeño en el mercado. Enlazar todos estos elementos en una forma que fuera comprensible para más de un puñado de personas era un reto formidable. Era un salto grande, pero muy grande.

Por otra parte, antes de que se pudiera iniciar cambio alguno en los flujos de trabajo y en los organigramas, teníamos que formular y comunicar lo que *no* sufriría ningún cambio. Hallmark es conocida por sus obras de caridad y por su estabilidad. Nuestra gente temía que, al rediseñar la empresa, esos sólidos cimientos de la compañía fueran a cambiar, y sin sus valores y creencias como base, los empleados podrían pensar que íbamos a abandonar nuestro patrimonio espiritual.

Todos estuvimos de acuerdo en que la única persona que podía comunicar en forma adecuada nuestras creencias y nuestros principios era Donald J. Hall, presidente de la junta directiva e hijo del fundador. Así, pues, Don redactó cinco creencias y cuatro principios directivos que se les comunicaron a todos los 22 000 empleados de Hallmark en el curso de varios meses, por medio de reuniones privadas y de grupo, artículos en la revista interna de la compañía y vídeos en que aparecían Hall, el jefe ejecutivo Irvine Hockaday, hijo, y otros altos ejecutivos. Una vez que hubimos comunicado eficazmente estos mensajes, todo el mundo entendió que, si bien cambiaríamos nuestra capacidad de ir al mercado, nuestros principios y nuestras creencias no se tocarían. Para nosotros éste fue un primer paso crítico para crear un proceso de cambio enfocado en los resultados.

También era difícil al principio entender la relación entre la mejora continua y la reingeniería del negocio. La gente usaba ambos términos y los confundía. Reconocimos temprano este problema porque veíamos expresiones de perplejidad en los asistentes a las reuniones.

Para realizar la reingeniería se requiere una actitud distinta de la que casi todos teníamos hasta entonces. Todos tuvimos que firmar y obtener de los altos ejecutivos del grupo el compromiso de dedicarle tiempo a la reingeniería. Pronto vimos que no es una cosa que se haga en quince o veinte minutos al día; no es cuestión de meter y sacar la cuchara o de asistir dos veces al mes a una sesión de orientación.

Me complace y me honra el hecho de que el comité operativo reconoció el grado de talento y compromiso que se necesitaba. Estuvimos de acuerdo en que el proyecto justificaba, por su importancia, que le dedicáramos todo el tiempo y toda la energía — tanto nosotros como el personal corporativo — que fueran necesarios para alcanzar las metas. Debíamos formular, acordar e interiorizar nuestras comunes prioridades comerciales.

Pero una cosa es decirlo, y otra hacerlo. La prueba verdadera viene cuando uno tiene que dotar de personal a una de estas operaciones. Los empleados a quienes esto correspondió, en su honor sea dicho, destinaron para ello a algunos de los mejores y más capaces que teníamos; y esto le dijo a toda la organización, en forma inequívoca, que la cosa iba en serio.

En abril de 1990, la compañía había formulado sus prioridades comerciales. Con el tiempo, produjimos un conjunto de objetivos claros. Queríamos llevar productos al mercado en menos de un año; sacar productos y programas de promoción que continuamente se ganaran a los compradores y a los minoristas; y reducir costos con mejoras continuas de calidad. En esencia, todo esto era mejorar extraordinariamente el desempeño a nivel de ventas al por menor para las tiendas de especialidades Hallmark, las grandes tiendas de departamentos y las cadenas de supermercados, las farmacias y otros puntos de venta de productos Hallmark y Ambassador.

La formulación de prioridades comerciales produjo un gran impacto. La parte más poderosa de "El Viaje" es mostrar explícitamente cómo tienen que cambiar los procesos y que los cambios son motivados por la meta común de mejorar el desempeño al por menor. Esto les permite a todos subir a bordo.

Esto no quiere decir que no hubiera obstáculos que vencer para que nuestra organización cambiara. Es muy humano aprobar los cambios para los demás; pero hablar de cambios en abstracto y cambiar significativamente la manera de realizar uno su trabajo personal, son cosas muy distintas. Teníamos que demostrar la viabilidad de algunos de nuestros conceptos y sacarlos adelante, para lo cual se requería escoger cuidadosamente los proyectos pilotos. Éstos tenían que ser dignos de confianza y ser aplicables en otras áreas de la organización. La mejora tenía que ser de magnitud exponencial, cosa que no se podía conseguir, por ejemplo, con mejoras continuas.

Ésta es una de las cosas que hay que superar desde el principio — la idea de que se trata sólo de un programa de mejora de productividad, de que "lo que ustedes quieren es hacerme trabajar más a mí". Hay que hacerles entender que lo que se busca no es que todos trabajen más sino con más inteligencia. Una vez que explicamos nuestras prioridades comerciales, nuestro personal aceptó nuestras ideas y por qué y cómo tenía que cambiar el negocio.

Después de ese paso, agrupamos a cien personas en nueve equipos, a fin de atender a una serie de "puntos críticos" del negocio que necesitábamos cambiar. Al cabo de algunos meses, los equipos le presentaron al comité operativo de cinco personas unas cien recomendaciones de reingeniería. El comité aprobó inicialmente una docena de conceptos que serían validados en la primera fase de los proyectos pilotos.

Al principio todos pensábamos que la informática sería un ingrediente vital de nuestro esfuerzo, pero no lo sabíamos a ciencia cierta. No entendíamos las ramificaciones que ella tendría para nuestros procesos comerciales. Yo creo que la mayoría de las personas tienen mucha fe en que más información es mejor que menos, y nosotros nos contábamos entre ellas. Pero no podíamos precisar qué significaba la informática para el negocio ni en qué áreas tendría mayor influencia.

Un caso específico se presentó con una recomendación de mejorar la remisión de los datos de ventas, de las tiendas de especialidades de Hallmark a las oficinas centrales de la compañía. A 250 tiendas Hallmark de propiedad privada las dotamos de sistemas computadorizados de punto de venta que utilizan códigos de barras para captar información detallada sobre todas las ventas que se efectúan. Desde octubre de 1991, hemos venido recibiendo información casi instantánea sobre lo que se vende.

El próximo paso consistía en hacer que fuera significativo ese torrente de datos para la administración. Se organizaron otros cinco grupos compuestos de personal de sistemas de investigación e información para producir sistemas de "apoyo de decisiones": programas computadorizados que pudieran utilizar los ejecutivos claves, a fin de interpretar en forma gráfica las tendencias observadas en las tiendas.

Todos creemos que esta información sobre ventas al por menor es una nueva transfusión de sangre para Hallmark. Saber exactamente qué se vendió ayer, en dónde, con qué se vendió, a qué horas del día, y a qué exhibición pertenecía, producirá cambios espectaculares e interesantes en nuestro negocio.

Aun cuando apenas estamos en los comienzos de la utilización de datos de ventas, creemos que ya ha producido un impacto significativo al confirmar espectacularmente algunas de nuestras intuiciones relativas a las operaciones de las tiendas. Por ejemplo, encontramos que, durante la temporada de Navidad, nuestras tiendas deben ofrecer una línea más amplia aún de artículos de fiesta. Cuantificamos también qué productos se venden mejor cuando están al lado de otros productos.

En el pasado habríamos vacilado antes de sugerirles a nuestros minoristas grandes cambios de producto y formato. Tal vez habríamos esperado veinticuatro meses. Pero ahora cuando les decimos qué se vende bien y qué no, lo hacemos basándonos en datos de ventas al por menor, no al por mayor.

La capacidad de seguir en forma más exacta y rápida la eficacia de una exhibición o campaña de publicidad de una tienda, rehará la forma en que comercializamos y vendemos. Si podemos vender una línca de producto igualmente bien sin exhibición de fantasía, economizamos un dinero que podemos destinar a algo que tenga efecto multiplicador.

Otro punto que teníamos que comunicar durante "El Viaje" era el hecho de que el tiempo realmente es dinero y que probablemente la mejor manera de ahorrar dinero es ahorrar tiempo. Para nosotros esto fue un avance decisivo; no nos habíamos dado cuenta de cuánta ineficiencia había en el sistema, debido simplemente al tiempo invertido en hacer cola. Esto no había sido nunca un problema en el pasado. Uno siempre tenía tiempo para volver a hacer las cosas si la primera vez no se habían hecho bien. Por ejemplo, en nuestro largo ciclo de desarrollo de productos, la mayor parte del tiempo no se dedicaba a imprimir y producir; las dos terceras partes del tiempc del ciclo se iban en desarrollar el plan y el concepto y en la parte creativa.

Nuestra compañía tiene el personal creativo más numeroso del mundo: setecientos artistas y escritores que crean más de 23 000 diseños de producto cada año. El proceso, que comienza por evaluar las necesidades del mercado y termina con una nueva línea de producto, ha sido en gran parte secuencial. Requería muchas reuniones, muchos cambios de trabajo editorial y de arte, e incontables aprobaciones e idas y venidas para llegar a tener un producto memorable. En un estudio, se encontró que desde que se le entregaba un concepto al personal creativo hasta que llegaba al departamento de impresión había veinticinco pases laterales. Y el 90% del tiempo, el trabajo permanecía en la canasta de papeles de llegada o de salida de alguien.

En el verano de 1991, desarrollamos una nueva línea de tarjetas de una manera totalmente distinta. Reunimos en grupo a varias personas que habían venido trabajando separadas por disciplinas, departamentos, pisos y hasta edificios, para disminuir los tiempos de hacer cola, espolear la creatividad y poner fin a la práctica de desentenderse de un asunto diciendo que era responsabilidad de otros.

Estos experimentos con equipos integrados funcionaron tan bien que la mitad de la línea llegó a las tiendas en septiembre — ocho meses antes de lo que se había programado. La otra mitad se probó en el mercado en la primavera. Nos sentimos tan estimulados por el éxito inicial que resolvimos establecer programas de menos de un año para los proyectos de desarrollo de productos estacionales, que representan cerca del 40% de nuestro negocio.

Creemos que los equipos funcionaron porque al reunir así a las personas, ellas se concentran, y se establecen entre sí lazos de comunicación directa. Además, probablemente la mayor recompensa para artistas y redactores es ver su trabajo en forma final mucho antes. Esto les da una gratificación inmediata.

También le hicimos cambios al proceso de revisión. En la antigua rutina, un comité de la administración revisaba periódicamente el trabajo de artistas y editores. En los equipos integrados, el mismo equipo es el que revisa su trabajo. Si empieza conociendo el modo de pensar de la administración y sabe que ésta lo examinará posteriormente, el equipo no necesita tanta revisión intermedia, y, en consecuencia, el proceso se ejecuta con mayor rapidez, y obtenemos un producto mejor.

Todavía quedan muchos problemas a medida que "El Viaje" continúa. Uno de los principales es la aceptación. Al acelerarse los procesos comerciales, nuestra gente tiene que entender que no le hemos pedido que disminuya la calidad del producto. Si realmente agrega valor para el consumidor, entonces queremos que la calidad aumente. Pero esto no siempre es lo mismo que aumentar el costo.

Otro reto es tecnológico. Como consecuencia de los cambios de proceso, Hallmark necesitará sistemas de información más avanzados, como la tecnología de punto de venta que instalamos en las tiendas Hallmark. La información de punto de venta llega también de cuentas de canales masivos servidos por Ambassador. Como los programas pilotos de reingeniería de procesos cuentan con personal técnico en sus equipos, estamos incorporando de una vez en ellos la tecnología.

Lo que hace que este proceso sea emocionante es que se trata de una oportunidad que se presenta una sola vez en la vida. Estamos forjando la capacidad organizacional que les permitirá a los empleados de Hallmark reaccionar de manera rápida y feliz al cambio imprevisto y continuo.

Ya no podríamos volver a la antigua manera de hacer negocios, y, lo que me parece más importante, todos saben que éste es un proceso sin fin; que, en realidad, hemos adoptado una nueva manera de hacer las cosas.

Al principio, cuando hablaba con grupos de empleados, me hacían preguntas como ésta: "¿Cuándo volverán las cosas a lo normal?" Yo les contestaba: "Lo normal es esto". El paso y el cambio son la nueva norma. Ya no me hacen tales preguntas.

Hay otra cosa que quiero recalcar: Desde muy al principio, llegamos a la conclusión de que el proceso era de arriba hacia abajo, no algo que podía llegar por sí mismo a masa crítica o que pudiera surgir de abajo. Una mejora continua sí puede ser así — surgir de abajo y adquirir masa crítica por su propio impulso. Nosotros sabíamos que, por su naturaleza transdivisional y transfuncional, este esfuerzo tenía que ser impulsado de arriba hacia abajo.

Cuando se impulsa algo desde arriba hay que formular claramente y comunicar por qué se hace. Por eso empezamos con nuestras creencias y nuestros valores como organización, pasamos luego a nuestra visión, y la vinculamos con nuestras prioridades comerciales, a fin de hacer que todos trabajaran apuntando a los mismos objetivos.

Es crucial hacerle entender a la gente que su unidad funcional puede tener objetivos que parecen válidos y, sin embargo, quizá no concuerden con las prioridades globales del negocio. Para esto se necesitó mucha persuasión.

Si se logra acuerdo sobre las prioridades comerciales y se enfocan en ellas las energías del personal, es sorprendente lo que ocurre. Cuando todo el mundo en la organización se siente responsable del éxito de la empresa total y sabe cómo puede contribuir a él, se ha logrado facultar al personal.

Hace un par de meses, visité el Japón por primera vez en muchos años. Cuando uno va allá, ve muy claro por qué los japoneses son una gran fuerza competitiva: todo el país está enfocado. Todos saben que están en medio de una batalla económica, y tienen la intención de ganarla. Tienen una sociedad homogénea que marcha al compás del mismo tambor. Todas las personas con quienes uno habla saben qué es lo que su país y su compañía buscan. Están alineados y constituyen una fuerza poderosa.

A este respecto, nosotros los de Hallmark tuvimos suerte debido a nuestra cultura. Comprendimos desde el principio que lo que se necesitaba era facultar a nuestros empleados para que cada uno fuera lo mejor que pudiera ser y darles a todos un ambiente de trabajo eficiente, cualquiera que fuera el papel de cada uno. Queríamos que experimentaran la satisfacción de saber que su labor era importante. Queríamos darles el vehículo y el foco que permiten llegar a esto.

Una de las cosas que más me gustan, y que infortunadamente no puedo hacer con suficiente frecuencia, es visitar nuestras instalaciones manufactureras. Me gusta realmente hablar con la gente que está haciendo las cosas. Todo lo que hay que hacer es hablar con los trabajadores en los talleres sobre lo que están haciendo, sobre los equipos a que están afiliados, sobre las células de trabajo a que pertenecen. Ellos me dicen que ahora es mucho más satisfactorio venir al trabajo. Sale uno contento con lo que ve y oye.

Al poner en ejecución los nuevos procesos, el problema principal no es la destinación de recursos; ya hemos resuelto asignar los recursos que sean necesarios. En el desarrollo de los proyectos, creo que el problema será no desviarse del rumbo, porque sabemos que con los nuevos procesos, esos desarrollos no estarán exentos de incidentes.

Estoy seguro de que habrá preocupaciones por problemas imprevistos. Creemos haber justipreciado lo mejor posible la magnitud de los riesgos, y hemos equilibrado las relaciones entre riesgo y recompensa. Pero en las situaciones en que parezca que hemos subestimado las dificultades, habrá tendencia a no conservar el rumbo. Entonces es cuando entra el líder.

Todos entendemos la magnitud del cambio que viene, pero tenemos confianza en que será un viaje provechoso. Nadie está con los nervios de punta, comiéndose las uñas y pensando que nos vamos a despeñar por un precipicio. Por otra parte, no somos un puñado de ilusos y soñadores que creen que lo pueden hacer todo. Somos muy realistas, y tenemos confianza en lo que podemos hacer. Cualesquiera que sean los retos, nos sentimos capaces de hacerles frente.

En la narración de Bob Stark sobre la experiencia de Hallmark resaltan tres cosas que muchas veces la alta administración pasa por alto o no aprecia debidamente. La primera es la necesidad primordial y constante de comunicación, y más comunicación, para que todos entiendan en la organización el método y las metas de la reingeniería. Rediseñar un negocio y pensar en procesos no son conceptos fáciles de captar. La gente tiene que entenderlos en todos los niveles de la compañía para que la reingeniería funcione, pero esto es especialmente cierto respecto del equipo gerencial, que fácilmente puede obstaculizar el esfuerzo cuando empiece a invadir su territorio y sus prerrogativas. Hablarle a la gente no sirve de nada si ella no escucha o *no entiende* lo que oye, y por eso el líder de un esfuerzo de reingeniería tiene que asegurarse de que el mensaje que transmite llegue realmente a su destino.

En segundo lugar, el caso de Hallmark muestra cuán importante es que la alta administración no sólo apruebe sino que se comprometa y comprometa a su *mejor* gente con el esfuerzo.

En tercer lugar, Hallmark estableció metas claras. Stark y sus colegas no dijeron simplemente "Queremos ser lo mejor que podamos", sino "En menos de un año queremos realizar esto, y esto, y esto". Al mismo tiempo, entienden claramente que la reingeniería no es una actividad totalmente planificada. Al principio, Hallmark no sabía exactamente cómo iba a proceder. Esperaba que hubiera problemas imprevistos, y los hubo.

Finalmente, el caso pone de manifiesto que la administración de Hallmark entendió y apreció que la reingeniería no es una jornada que se hace una sola vez. Es un viaje sin fin porque el mundo sigue cambiando. Los procesos que se rediseñaron una vez habrá que volver a rediseñarlos algún día. La reingeniería de negocios no es un proyecto: es un método de vida.

CAPÍTULO 11

EXPERIENCIA DE UNA COMPAÑÍA: TACO BELL

Taco Bell, subsidiaria de PepsiCo, andaba mal y empeoraba cuando John E. Martin fue nombrado director ejecutivo en 1983. El problema para Martin no era convencer al personal de que la compañía tenía que rediseñarse para un futuro a largo plazo. Su problema era realizar un cambio lo suficientemente radical y rápido como para salvar a la compañía. Le habían dado el liderazgo de una empresa que se hacía más pequeña y menos rentable día por día. Hace poco, Martin explicó en la forma siguiente los cambios que inició en Taco Bell:

> Para nosotros, el proceso de reingeniería ha sido como un viaje de descubrimiento — viaje que venimos realizando desde hace casi un decenio y que sabemos que ha de durar tanto como Taco Bell en el negocio de servir a los clientes.
>
> A lo largo de todo el proceso, lo más grande que hemos aprendido es lo más básico, o sea, que todo comienza con una simple decisión de escuchar a nuestros clientes.
>
> Cuando me nombraron jefe ejecutivo en 1983, Taco Bell era más o menos lo mismo que cualquier otro negocio de restaurantes de

servicio rápido. Nuestra organización era de "órdenes y control" de arriba abajo, con múltiples niveles gerenciales; la principal preocupación de cada nivel era vigilar al inmediatamente inferior. También nos movíamos por procesos, en el viejo sentido de la palabra, con manuales operativos para todo, y hasta manuales para interpretar otros manuales.

Lo mismo que nuestros competidores, estábamos enredados en el proceso de procesar; luchábamos por algo más grande, mejor y más complicado en todo lo que hacíamos.

Si algo era sencillo, lo complicábamos. Si era difícil, hallábamos la manera de hacer que fuera imposible.

Obrábamos en esa forma porque, con tantos niveles gerenciales, necesitábamos dificultar las cosas para poder mantener a todo el mundo ocupado. Cuantos más controles y órdenes tuviéramos en el sistema, tanto más justificaba el sistema su propia existencia.

Por desgracia, en nuestros esfuerzos cada vez mayores por micromanejar todos los aspectos de las operaciones de restaurante, nos concentramos tanto en nosotros mismos y en nuestros procesos que nos olvidamos de hacer una pregunta básica: ¿Qué diantres piensan nuestros clientes de todo esto?

¿Les importaba a los clientes que nuestros gerentes auxiliares de restaurante pudieran armar y desarmar las doce partes de una paila de freír con los ojos vendados? ¿Les importaba que alguien de nuestra industria hubiera escrito probablemente un manual sobre la materia, incluyendo el tipo de venda que se debía usar? ¿Les importaba, en último análisis, que nos las hubiéramos ingeniado para convertir el negocio relativamente sencillo de comidas rápidas en una verdadera ciencia, todo bajo el supuesto de que eso era bueno para ellos?

Desde antes de encargarme del puesto de director ejecutivo, yo ya sospechaba que a los clientes no les importaba un pepino ninguno de nuestros complicados sistemas. Mi nombramiento para ese cargo me dio la oportunidad de confirmarlo. Es importante recordar que, por allá en los primeros años 80, Taco Bell era una cadena regional de restaurantes que gozaba de cierto éxito en un nicho relativamente reducido. En 1982, teníamos menos de 1 500 restaurantes, y realizábamos un total de 500 millones de dólares en ventas; nuestros principales competidores, casi todos en el negocio de hamburguesas, nos llevaban una ventaja de años luz.

El mundo de las comidas rápidas estaba dejando atrás a Taco Bell. En efecto, nuestro crecimiento real acumulado de 1978 — cuando PepsiCo adquirió a Taco Bell — a 1982 mostró un índice negativo del 16 por ciento frente al 6 por ciento positivo para toda la industria.

Íbamos para atrás . . . y rápidamente.

El problema era que, en aquellos días, Taco Bell no sabía realmente qué era lo que quería, así que nuestra primera prioridad consistía en formular una visión para la compañía. Como el único camino que nos quedaba era ir hacia arriba, resolvimos pensar lo impensable, y creamos la visión de Taco Bell como un gigante en la industria de comidas rápidas — no sólo líder en la categoría mexicana sino una fuerza competitiva con la cual tendrían que habérselas todas las organizaciones de restaurantes en todas las categorías.

Muchas personas en la industria de restaurantes, inclusive dentro de nuestra propia compañía, pensaron que la nueva visión era algo más que visionaria. "Descabellada" era el calificativo que oíamos con frecuencia. Pero Taco Bell estaba en una situación en que las alternativas eran: "O arriba o afuera"; sólo estábamos seguros de una cosa: de que teníamos que cambiar en una forma verdaderamente grande.

Hoy, cuando pienso en aquella primera visión y en la inmensa cantidad de cambios que tuvimos que efectuar para realizarla, me acuerdo de algo que dijo Robert Kennedy: "Progreso es una buena palabra. Pero el cambio es su motivador, y el cambio tiene enemigos". Lo cual quiere decir que no se puede ir del punto A al punto B sin hacer frente a ciertos problemas.

Para que Taco Bell progresara, dejara de ser una cadena de restaurantes regional y se convirtiera en una fuerza nacional en la industria, tuvimos que aceptar el hecho de que nuestros mayores enemigos eran las ideas incrustadas en la tradición, a las cuales se aferraban muchos de nuestros empleados.

En aquellos días, los pensadores tradicionales estaban convencidos de que sabían qué deseaban los clientes, sin necesidad de preguntárselo. Decoraciones de fantasía, cocinas más grandes, equipo más refinado, personal más numeroso, menús más extensos, patios de juego al aire libre. En otras palabras, sin preguntárselo, dábamos por sentado que lo que querían era algo más grande, mejor y más complejo. Siguiendo este modo de pensar tradicional, les estábamos prestando un servicio más lento y más costoso.

Así, pues, comenzamos nuestro viaje preguntándoles a los clientes qué era lo que *ellos* querían, y lo que descubrimos fue muy alentador. Resultó que no querían nada de esas cosas más grandes y mejores y más fantásticas que suponíamos. Lo que en realidad querían era bien sencillo: comida buena, servida rápidamente y caliente, en un local limpio y a un precio cómodo.

Ésa era la cuestión. Todo lo demás les interesaba muy poco.

La investigación inicial que realizamos en Taco Bell fue nuestra declaración de independencia. Nos permitió ver la compañía en una forma enteramente distinta y hacer del valor para el cliente el elemento clave de nuestra estrategia comercial.

Cuando un cliente entra en un restaurante de comidas rápidas y paga lo que pide, una gran parte de ese dinero no tiene nada que ver con lo que el cliente recibe en cambio. Desde luego, todos los factores de costo son importantes desde el punto de vista comercial; pero ¿qué es lo importante desde el punto de vista del cliente? ¿La mano de obra? No. ¿El arrendamiento? No, a menos que uno sea accionista de PepsiCo.

En fin de cuentas, las únicas categorías importantes para los clientes son la comida y el papel porque eso es lo que reciben a cambio del dinero que nos entregan. Y es muy sorprendente que el porcentaje de lo que el cliente paga y que corresponde a comida y papel — en otras palabras, el costo de mercancía vendida — es históricamente la única variable que las cadenas se han esforzado por reducir. Aun hoy, los técnicos del ramo de restaurantes se precian de mantener bajos los costos de comida y papel y dedicar lo que economizan a marketing.

Uno de nuestros bien conocidos competidores en comidas rápidas gasta cerca de 1 000 millones de dólares anualmente en comercializar sus servicios. Éste es el costo de unos 8 000 millones de burritos de fríjoles, suficientes para regalarle un burrito y medio anualmente a cada habitante del planeta.

Decidimos reducir todo, menos el costo de la mercancía vendida, incluso el costo de marketing. Pensamos que ofreciéndole un trato mejor al cliente tal vez no tendríamos que pagar tanto por convencerlo de que comprara nuestro producto.

Con esta decisión creamos un cambio realmente paradigmático que lanzó todo nuestro proceso de reingeniería.

No tengo palabras para encarecer cuán emocionante y liberador fue ese cambio para nuestra compañía. Saliéndonos totalmente de los viejos moldes de pensar, diciéndoles a nuestros clientes que los métodos viejos eran los de los dinosaurios, desencadenamos dentro de la compañía una energía que ha producido un éxito enorme y que ahora sí nos ha permitido pensar en forma verdaderamente realista en llegar a ser la fuerza dominante en la industria de comidas en el curso de los próximos diez años. Nuestra visión inicial tiene buenas probabilidades de convertirse en realidad. No está mal para una pequeña y soñolienta organización regional de restaurantes.

¿Cómo se manifestó esa energía en el proceso de reingeniería?

Tomó varias formas, incluso una reorganización total de nuestros recursos humanos y un cambio radical de nuestros sistemas operativos para volverlos más innovadores y más enfocados al cliente.

A la luz de las normas tradicionales de los restaurantes, el cambio de nuestros procesos administrativos fue radical. Eliminamos niveles enteros de administración y, al mismo tiempo, redefinimos completamente casi todos los oficios del sistema.

Por ejemplo, prescindimos del nivel de "gerente distrital", que normalmente supervisa la administración de cinco o seis restaurantes, y al eliminar esa categoría cambiamos radicalmente la descripción del oficio de nuestros administradores de restaurantes, que antes dependían de los gerentes distritales.

Por primera vez en la industria de comidas rápidas les dijimos a los administradores de restaurantes que, en adelante, serían responsables de manejar sus propias operaciones sin la ayuda — o el estorbo — de otro nivel de supervisión. "Ahora ustedes son los encargados", les dijimos. "Cómo se comporte su unidad en ventas, rentabilidad y satisfacción del cliente está en sus manos, y evaluaremos su rendimiento y fijaremos su paga sobre la base de esos indicadores específicos". Ésta era una medida inusitada en la industria de restaurantes, que estaba organizada a base de órdenes y control.

La reorganización resultó penosa para algunos gerentes, sobre todo para los que todavía creían que la prueba final de sus habilidades era armar con los ojos vendados la olla de freír. Sin embargo, muchos se adaptaron con facilidad e inmediatamente al nuevo sistema, y aun respondieron en forma tan satisfactoria que posteriormente cambiamos su título de administrador de restaurante a gerente general de restaurante. Como cada uno era responsable de un negocio de 1 millón a 2 millones de dólares cada año, sin duda eran como gerentes generales.

Durante varios años después de esta reorganización, hubo un éxodo de gerentes que pensaban en la forma tradicional. La mayoría de ellos acabaron por irse a trabajar en posiciones administrativas con nuestros competidores, donde el supervisor de área que vigilaba un tramo de cinco restaurantes sigue siendo la norma.

En Taco Bell, por el contrario, al nivel de supervisión nuestra reorganización produjo una categoría de oficio enteramente nueva que llamamos "gerente de mercado". Esta posición no existe en ninguna otra parte en la industria de restaurantes.

En 1988, Taco Bell tenía 350 supervisores de área que controlaban unos 1 800 restaurantes. Hoy sólo tenemos poco más de 100 gerentes de mercado, que son responsables de unos 2 300 restaurantes de la compañía. Cada gerente supervisa por lo menos 20 restaurantes. Algunos tienen 40 a su cargo, lo cual constituye una enorme responsabilidad, como lo sabe todo el que entienda del negocio de restaurantes.

Los buenos gerentes de mercado en la nueva Taco Bell administran por excepción, lo cual quiere decir que tienen que trabajar solamente para resolver problemas, no para crearlos. No menos importante es que tienen que rechazar del todo el viejo estilo de órdenes y control, a cambio de un modelo que promueve la flexibilidad, se vale del más avanzado sistema de información, fomenta la innovación y faculta al personal para que realice su trabajo.

La nueva posición de gerente de mercado produjo una sacudida, como la había producido el cambio anterior.

Algunos antiguos supervisores de área estuvieron a la altura de las circunstancias, otros pasaron a ser gerentes generales de restaurante y resultaron muy productivos, mientras que otros, en fin, abandonaron a Taco Bell por posiciones más cómodas con nuestros competidores.

Varios de los que nos abandonaron me llevaban aparte para decirme: "Oye, John, te has metido en camisa de once varas. Esta nueva Taco Bell no va a funcionar. Se han hecho demasiados cambios".

Yo los oía, sonreía, les estrechaba la mano y les daba las gracias por haber desempeñado un papel importante en el *pasado* de Taco Bell.

Después de estas conversaciones, yo quedaba más comprometido que nunca con el proceso de reingeniería. ¿Por qué? Porque en Taco Bell habíamos aceptado que el cambio, aunque fuera doloroso, era también un inevitable subproducto del crecimiento y el éxito. Cuando la gente ya no me llame aparte para decirme que los cambios no van a funcionar, será cuando yo empiece a preocuparme, porque entonces será cuando Taco Bell ha empezado a estancarse.

El conocido novelista John Steinbeck escribió: "Está en la naturaleza del hombre, a medida que envejece, protestar del cambio, sobre todo del cambio para mejorar". Para comprender la verdad de esta afirmación, basta echar una buena mirada a la industria electrónica de los Estados Unidos, a su industria ferroviaria, que fue tan importante, a sus atribulados fabricantes de acero y automóviles. Todos ellos se sintieron muy cómodos en su vejez, se resistieron al cambio inevitable, y ahora están pagando las consecuencias. Por lo cual, precisamente, yo digo que la reingeniería en Taco Bell es un proceso de cambio y de renovación que no tiene fin.

El cambio engendra cambio, de manera que a la vez que reorganizábamos nuestros recursos administrativos, teníamos que repensar todo lo demás que hacíamos. A lo largo del esfuerzo total de reingeniería mantuvimos sólo una regla sencilla: mejorar las cosas que llevan valor a los consumidores y cambiar o eliminar las demás.

Tenemos que aceptar el hecho de que no estamos en el mismo negocio en que estábamos en los años 60 y 70. Las viejas formas no tienen aplicación, y por ello tenemos que cambiar todos los aspectos de nuestro negocio.

Tomemos, por ejemplo, los edificios de los restaurantes Taco Bell. Para aumentar el valor a nuestros clientes y eliminar lo que no se necesitaba, tuvimos que rediseñarlos totalmente. Hasta 1983, un restaurante típico de Taco Bell era el 70 por ciento cocina y el 30 por ciento área para la clientela. Lo mismo que todos los demás en la industria, nosotros habíamos complicado las operaciones hasta tal punto que nuestras necesidades internas desalojaban a los clientes. Hoy, después de ocho años de reingeniería, hemos invertido la situación. Nuestros nuevos locales constan, en promedio, del 30 por ciento de cocina y el 70 por ciento de área para la clientela. Pudimos duplicar el número de puestos para los comensales conservando la misma área total del viejo edificio.

Las unidades de nuestros competidores, dicho sea de paso, se han vuelto cada vez más grandes, mientras que las nuestras han permanecido del mismo tamaño. Todo un restaurante Taco Bell, incluyendo asientos y mesas, cabría en el solo espacio de cocinas de algunos de nuestros competidores típicos de servicio rápido de hamburguesas.

Por lo demás, nuestra disminución del área de cocinas no ha perjudicado en absoluto la productividad. Todo lo contrario. Durante los primeros años 80, cuando las cocinas ocupaban el 70 por ciento del área disponible, la capacidad máxima de un restaurante de primera era de unos 400 dólares por hora. Hoy es de 1 500 por hora. Al mismo tiempo, nuestros precios son actualmente el 25 por ciento más bajos, en promedio, que hace nueve años.

Lo que hemos conseguido con la reingeniería es una sinergia de todos nuestros procesos. Mientras que la estrategia de marketing basada en valor impulsa ventas y transacciones, nuestros esfuerzos de reingeniería hacen que esas ventas sean más lucrativas, y, al mismo tiempo, aumentan la satisfacción de la clientela, cuyos índices seguimos en forma continua.

Otras medidas que nos han dado muy buenos resultados son un sistema que llamamos K-Minus, un programa que denominamos TACO (sigla de *Total Automation of Company Operations*, automatización total de operaciones de la compañía), y algunas de nuestras más recientes y novedosas ideas sobre puntos alternos de distribución y tecnología aplicada. Permítanme explicarme:

K-Minus, que significa restaurantes sin cocinas, nació del concepto de que somos una compañía de servicio al por menor para el cliente, no una compañía manufacturera. Creemos que nuestros restaurantes deben *vender* comida al por menor, no *fabricarla.*

Actualmente, la carne y los fríjoles que despachamos se cocinan fuera del restaurante, en comisariatos centrales; todo lo que necesitamos es agua caliente para recalentarlos antes de servirlos. También se hace por fuera la preparación de nuestras conchas de maíz y queso, lo mismo que todo el trabajo de picar y cortar lechuga, cebolla, tomates y aceitunas.

Hasta ahora, los resultados de K-Minus han sido notables. Ya hemos sacado de los restaurantes 15 horas de trabajo al día, lo cual para todo el sistema representa unos 11 millones de horas anualmente.

Taco Bell economizó 7 millones de dólares con K-Minus en sólo el año pasado. También nos beneficiamos con mayor control de calidad, más alta moral del personal (porque eliminamos casi todo el trabajo aburridor de preparación de alimentos), menos accidentes de trabajo y lesiones, gran economía en servicios públicos y, desde luego, más tiempo para atender al cliente.

El sistema TACO les da a nuestros restaurantes un nivel de refinamiento tecnológico sin igual en la industria de comidas rápidas. Este sistema pone a disposición de nuestros empleados el poder de la tecnología del computador, fomentando así la independencia y eliminando millares de horas de papeleo y tiempo administrativo que están mejor empleados sirviendo directamente a nuestros clientes.

Igualmente importante es que programas como K-Minus y TACO sirven como agentes del cambio para ideas más avanzadas aún, como las de puntos alternos de distribución y nueva tecnología. Me explico:

Cuando uno ve un clásico restaurante Taco Bell aislado, ve algo que en el futuro podrá muy bien ser un McDonald's, un Burger King o cualquier otro competidor. Es un edificio hecho de ladrillo y argamasa, vidrio y diversas piezas de equipo de restaurante, y durante los últimos treinta o cuarenta años ha definido y limitado quiénes somos y qué somos.

"Definido y limitado" porque dentro de esas cuatro paredes nuestra clientela es gente que come en restaurantes de comidas rápidas. Fuera de esas cuatro paredes, nuestra clientela es gente que come. Dentro de las paredes el mercado total es de 78 000 millones de dólares; fuera de las paredes, el mercado total es la suma de todas las ocasiones de comer, o sea unos 600 000 millones de dólares en sólo los Estados Unidos.

Cuando empezamos a redefinirnos en lo que me complace llamar participación total de estómago, empezamos a ver nuestro restaurante de ladrillo y argamasa apenas como un punto de distribución en un universo de muchos puntos de distribución.

Además, dejamos de limitarnos a la meta de ser líderes en valor en la industria de restaurantes de servicio rápido y pusimos la mira en una nueva meta: ser líderes de valor para todas las comidas y para todas las ocasiones de comer.

Estamos, pues, derribando esas paredes tradicionales y llevando nuestras comidas a los lugares donde la gente se congrega. Actualmente se incluyen entre estos lugares comedores corporativos e industriales, escuelas y universidades, aeropuertos y estadios. Me complace informar que todos estos puntos de distribución van muy bien, pero por lo que a mí toca, son apenas un comienzo.

La promesa de verdad está en los puntos de distribución que todavía no hemos descubierto, porque la reingeniería trae cambio, el cambio produce nuevas ideas, y las nuevas ideas dan por resultado crecimiento. Para Taco Bell el crecimiento ha sido sensacional. A partir de 1989, las ventas han aumentado en un 22 por ciento anualmente. Este crecimiento excepcional ha sido impulsado por el aumento de transacciones, el mejor indicador de nuestro éxito.

En cuanto a crecimiento de utilidades, el promedio de aumento de utilidades de Taco Bell ha sido del 31 por ciento de 1989 en adelante, lo que es increíble si se tienen en cuenta las enormes inversiones de capital que hemos hecho en tecnología, cambios organizacionales y fortalecimiento de la compañía. Nuestro enorme crecimiento de utilidades tiene lugar en momentos en que el resto de la industria lucha por alcanzar algún aumento por pequeño que sea.

Y por nuestro continuo esfuerzo de reingeniería de nuestras operaciones y de pensar en nuestro crecimiento, no en función de las cuatro paredes de un restaurante sino en función de puntos de distribución, esperamos que estas cifras suban vertiginosamente en los años venideros. Máquinas vendedoras, supermercados, escuelas, comercios minoristas, esquinas de las calles, lo que sea, allí estaremos. Esperamos, en efecto, que en el curso del próximo decenio Taco Bell tenga decenas de millares de puntos de distribución, lo cual será muy distinto de los 3 600 restaurantes que manejamos en la actualidad. Allá llegaremos, porque si no llegamos nosotros, otros llegarán. Ésa es la realidad que impulsa nuestro negocio y nos obliga constantemente a buscar nuevas oportunidades de aumentar el valor para los clientes.

Una de esas oportunidades es la aplicación de nueva tecnología. Aquí, como en todo lo demás, el principio que nos guía es que toda innovación tecnológica que adoptemos tiene que mejorar el servicio y simultáneamente rebajar costos.

El progreso que hemos logrado aplicando tecnología eficaz ha sido tan notable que CBS lo destacó en uno de sus programas informativos. Considérese, por ejemplo, nuestra máquina de hacer tacos. Produce hasta 900 tacos por hora, todos perfectamente proporcionados, todos servidos a la temperatura precisa, todos individualmente empacados y listos para entregar al consumidor. Tiene otra ventaja, y es que nunca falta al trabajo. Es un verdadero símbolo del progreso que hemos hecho con la reingeniería.

Recuerdo perfectamente el día que se puso esta idea sobre el tapete hace un par de años. Sí, hubo risitas de incredulidad, y muchos pensaron que ese proyecto jamás arrancaría. Pero eso no importaba. Lo verdaderamente importante es que la *nueva* Taco Bell no se dejó obstaculizar por la *vieja* Taco Bell en su marcha hacia el progreso.

Si hubiéramos permitido que el modo de pensar tradicional guiara nuestros actos, la máquina de hacer tacos no existiría.

En suma, Taco Bell pasó de ser una compañía regional de 500 millones de dólares en 1982 a ser una empresa nacional de 3 000 millones de dólares hoy, todo porque escuchamos a nuestros clientes y no tenemos miedo de cambiar. Yo vaticino que para el año 2000 Taco Bell será una compañía de 20 000 millones de dólares por la misma razón que somos una compañía que escucha a sus clientes y no teme al cambio. Cuando alguien me dice: "John, esa predicción es completamente descabellada", yo tengo en cuenta dos cosas: La primera: Cuando los que piensan a la antigua le dicen a uno que su meta es descabellada, probablemente uno ha dado con algo grande. La segunda: Cuando dejan de decírselo, probablemente uno ya ha perdido la guerra.

La historia de John Martin es inspiradora. Su esfuerzo de reingeniería dio magníficos resultados, pues las ventas de Taco Bell subieron de 500 millones de dólares a 3 000 millones en una industria que está declinando. Varios puntos merecen destacarse en este caso:

La lección más trascendental es que Martin se dio cuenta de que el cliente tiene que ser el punto de partida para todo. Al volver a conceptualizar los procesos de la compañía, Martin y los suyos siempre empezaban con las necesidades del cliente, y de ahí trabajaban hacia atrás. Esta perspectiva contrasta fuertemente con la tradicional del gerente para quien lo primero es saber arreglar una olla de freír. El mantenimiento del equipo es importante, pero no es lo que busca el cliente cuando entra en un Taco Bell. En la estructura estándar, burocrática, de una compañía, los empleados correlacionan su importancia personal con el número de subalternos que tienen directamente a sus órdenes o con el valor de los activos que controlan. Éste es uno de los valores que la reingeniería tiene que cambiar porque conduce a construir una infraestructura — cocinas más grandes y complicadas — que no satisface las necesidades reales de la clientela. La reingeniería en Taco Bell estaba inequívocamente orientada hacia el cliente, pues todo cambio se valoraba por una norma: ¿Agrega valor para el cliente?

Otra lección se deriva de la experiencia de John Martin: Hay que esperar resistencia y estar preparado para hacerle frente. Los que tienen intereses creados en la manera de hacer las cosas se desconcertarán cuando se la modifiquen. Si algunos se desconciertan, eso es una buena señal de que uno está haciendo algo significativo.

El caso de Taco Bell ilustra igualmente el efecto de onda de que hemos hablado. Cámbiese un proceso, y ese cambio repercutirá en otros aspectos de la organización. Taco Bell cambió el proceso de armar una comida, lo cual precipitó un cambio en la estructura administrativa, que a su vez hizo que la compañía tuviera que cambiar su sistema de compensación. El cambio de un proceso hace ondas que se convierten en un cambio organizacional universal.

Finalmente, Taco Bell puso en claro su visión corporativa con aquella brillante frase: "Queremos ser el número uno en participación de estómago". Esa afirmación les dice a cuantos la oigan o la lean que las oportunidades de la compañía son mucho más que vender comidas mexicanas rápidas en restaurantes donde se come sentado. Toda compañía que esté rediseñando debiera buscar una frase tan clara, tan elocuente y tan reveladora como ésa.

CAPÍTULO 12

EXPERIENCIA DE UNA COMPAÑÍA: CAPITAL HOLDING

Supongamos que después de haber dedicado varios años a desarrollar el reloj de pulsera más perfecto, absolutamente exacto y barato, resulta que el mundo resuelve trabajar con un día de 23 horas. Nuestro reloj es una maravilla de ingeniería, pero es un reloj de 24 horas en un mundo de 23. Eso, poco más o menos, fue lo que le pasó a Capital Holding Corporation con su Grupo de Respuesta Directa (DRG) que vendía seguros — de vida, salud, propiedad y accidentes — por televisión, teléfono y correo directo.

DRG se había valido de voceros célebres como Lorne Greene, Michael Landon, Art Linkletter y Roger Staubach para promover sus productos en la televisión tarde por la noche y durante el día. Había introducido millones de nombres en su máquina de correo directo de gran volumen, y era una fábrica eficiente de marketing a base de promedios para vender seguros con el concepto de que un mismo producto sirve para todos.

Pero mientras DRG se ocupaba en crecer, el mundo empezó a cambiar. A mediados de los años 80, la maquinaria de marketing masivo que tan bien había funcionado durante años, estaba llevando los creativos mensajes de DRG a buzones individuales atestados de material de propaganda que muy probablemente iba a parar directamente al recipiente de la basura.

La congestión del correo directo no era el principal problema de DRG. Su estrategia de marketing por promedios se iba a estrellar en el decenio del cliente. Ese oso grandullón y amistoso que DRG llamaba el mercado masivo se estaba convirtiendo en un monstruo de muchas cabezas, cada una de las cuales pensaba por sí misma. Por otra parte, los medios de comunicación masiva que llegaban en forma tan eficaz al consumidor promedio se habían fragmentado en astillas. El mercado masivo ya no existía, y el público tenía otras cosas que ver fuera de las tres grandes cadenas de TV.

Así, pues, DRG, con su insuperable sistema de marketing masivo, se veía ante un decadente mercado masivo. Las nuevas ventas ya no compensaban las pólizas vencidas, de modo que el crecimiento se retardó. Los índices de respuesta bajaron e hicieron subir el costo por venta, y los márgenes comenzaron a erosionarse, con detrimento de las utilidades.

Pamela Godwin, vicepresidenta principal de DRG, toma en este punto el hilo de la historia:

> En 1988, Norm Phelps, presidente de DRG, y otros altos ejecutivos de esa empresa llegaron a la conclusión de que los días del marketing masivo habían terminado para nuestra compañía. Comprendieron que para mejorar el valor que la empresa le entregaba al cliente, aumentar los índices de respuesta y conservar más clientes en los libros era preciso fortalecer nuestras relaciones con los clientes actuales y dirigir el marketing a clientes potenciales cuyo perfil se ciñera a estrategias específicas de la compañía.
>
> En otras palabras, para poder continuar en el negocio de seguros de respuesta directa, DRG tendría que prestarles a los clientes servicio, no proporcionarles sólo productos, y tendría que ofrecerles productos diseñados para servir a clases de clientes particulares e identificables.
>
> Con ese propósito, concibió Phelps una nueva visión para DRG. Resolvió que la compañía tenía que ser precisamente lo que la mayor parte de la gente no esperaba que fuera: una compañía de seguros que se preocupa por sus clientes y quiere darles el máximo valor posible por el dinero de las primas que pagan.
>
> La nueva declaración de visión es directa, inequívoca y tan concisa que apenas ocupa una página:

INTERESARSE, ESCUCHAR, SATISFACER . . . UNO POR UNO

Todos estamos dedicados a satisfacer los intereses financieros de todos los miembros de nuestra familia de clientes de esta manera:

- *Interesándonos profundamente y comprendiendo las necesidades financieras particulares de cada miembro.*
- *Suministrando valor con productos y servicios que satisfagan los intereses financieros de cada miembro.*
- *Respondiendo con la información clara, la atención personal y el respeto que cada miembro merece.*
- *Cultivando relaciones perdurables que nos hagan ganarnos la lealtad y la recomendación de todo miembro.*

Para llevar a cabo nuestra misión tenemos que hacer lo siguiente:

- *Buscar y hallar personas que tengan un hondo sentido de afiliación, y llegar a ellas por conducto de grupos de nuevos afiliados o de los existentes, y servirles.*
- *Ofrecerles a nuestros miembros un amplio surtido de productos de seguros y ahorros.*
- *Comunicarnos directamente con cada miembro por medio de respuesta directa, con énfasis en el teléfono y la tecnología, para estrechar nuestras relaciones.*

Nuestro incomparable espíritu de dedicación a la satisfacción del cliente nos coloca en un lugar aparte. Es la promesa en que confían los miembros actuales, la que atrae nuevos miembros, y por la cual vivimos todos nosotros.

La responsabilidad global de convertir en realidad esta ambiciosa visión fue una tarea enorme. En 1988, me pidieron que encabezara un equipo interfuncional de mandos medios y altos ejecutivos que debía desbaratar los procesos existentes de ventas, servicio y marketing de la compañía y volverlos a armar en una nueva configuración. Queríamos un modelo comercial movido por los intereses del cliente, que hiciera dos cosas: La primera: Tenía que permitirnos vender y servir a los clientes actuales mejor que cualquier competidor. La segunda: Tenía que permitirnos captar tanta información como fuera posible acerca de nuestros clientes actuales y aplicarla en nuestras campañas de marketing.

La nueva configuración que creó este equipo tomó la forma de un número ocho. El aro inferior lo llamamos gestión del cliente, y el superior gestión del mercado.

El aro inferior suministraría el nuevo nivel de servicio diligente y personalizado que buscábamos. Los clientes ya no serían enviados de un departamento a otro a entenderse con personas que no estaban preparadas para resolverles sino una parte de su problema. Por el contrario, este aro del modelo comercial funcionaría con equipos de primera línea capaces de manejar cualquier problema del cliente valiéndose de sistemas de información globales, interactivos y diseñados para comodidad del usuario. Los mismos equipos estarían en capacidad de hacerles ventas a los clientes actuales de la compañía, y a la vez aprovecharían toda oportunidad de recoger información útil de esos clientes.

El aro superior del número ocho — lo que llamamos gestión del mercado — utilizaría una de las más grandes bases de datos de propiedad privada del país, con información detallada sobre quince millones de consumidores, clientes activos, antiguos clientes y personas que han hecho averiguaciones sobre los productos de la compañía. La información de la base de datos proviene de diversas fuentes. Una es la mitad inferior del número ocho, las relaciones con los clientes de DRG. Otra fuente son los proveedores de información comercial. Además, DRG conectaría su base de datos con poderosos investigadores sindicalizados que le ayudarían a dividir la base de datos en segmentos y nos permitirían ver rápidamente qué productos les interesan a determinados grupos. El aro superior utiliza la información que adquiere para crear y comercializar los productos de la compañía, y le suministra al aro inferior clientes en perspectiva y nuevos clientes.

Tal era el modelo comercial estratégico que queríamos crear, y ahora, cuatro años después, hemos avanzado bastante en la reingeniería de la compañía. Sin embargo, ya sabíamos entonces que transformar la compañía de lo que era en lo que queríamos que fuera, no iba a ser simplemente cuestión de modificar y reformar nuestros viejos sistemas. Teníamos que crear nuevos procesos desde el principio. Teníamos que cambiar el negocio, no para comodidad nuestra sino para beneficio del cliente. Y teníamos que hacer esos cambios rápidamente, manteniendo al mismo tiempo la rentabilidad y generando utilidades para los accionistas de Capital Holding. Teníamos que crear una estrategia de cambio, paso por paso. Teníamos que rediseñar, no sólo un proceso sino todo lo que hacía la compañía.

Mi papel era el de líder. Mi deber era ayudarle a la alta administración a crear el nuevo modelo de DRG y luego facultar a los equipos (que después llegaron a ser doce) que debían rediseñar los procesos específicos inherentes al nuevo modelo.

Por la declaración de visión sabíamos lo que queríamos que llegara a ser la compañía; pero ¿cómo podríamos, por ejemplo, "responder con la información clara, la atención personal y el respeto que cada miembro merece", como lo exigía la visión, cuando sufríamos la maldición de la departamentalización? Veamos el caso de uno de los procesos que DRG tenía que cambiar, la tramitación de las solicitudes de seguro. Los empleados pasaban la solicitud de una etapa a otra hasta que al fin alguien se comunicaba con el cliente. El único momento en que la responsabilidad de la solicitud recaía realmente en un empleado era cuando ésta acertaba a llegar a su escritorio. Para que nuestro desempeño se ajustara a la visión, eso tenía que cambiar, de modo que, entre muchísimas otras cosas, estamos desarrollando un nuevo proceso en que hay trabajadores de caso que son dueños del cliente desde el momento en que se recibe la solicitud hasta que se toma la decisión.

Nos habían dicho — y ahora sabemos que es cierto — que antes de que se pueda efectuar un cambio significativo es preciso entender la cultura de la compañía. La gente se comporta lógicamente en el contexto de su ambiente, de manera que si uno quiere que un empleado cambie de conducta tiene que ponerlo en un ambiente que esté de acuerdo con su estrategia comercial. Por consiguiente, lo primero que hicimos antes de rediseñar el proceso de las solicitudes o cualquier otro fue realizar una auditoría cultural, que nos reveló la actitud de nuestros empleados y nos permitió comprenderla.

Éste fue para nosotros un paso importante aunque muchas compañías podrían saltárselo. Ahora sabemos que nos habría sido imposible rediseñar nuestros sistemas y procesos sin entender las barreras culturales y las cuestiones personales que se interponían.

La auditoría cultural constaba de tres partes. En la primera, contratamos los servicios de una firma de fuera para que realizara una encuesta corriente de actitud de los empleados y nos informara de los resultados. Entonces desmenuzamos su informe y analizamos cuidadosamente sus conclusiones.

Para la segunda parte, armamos lo que podría llamarse un equipo multinivel y transfuncional de transformación cultural. Se compuso de veinticinco empleados, desde secretarias hasta vicepresidentes de todas partes de nuestra organización. Su deber era averiguar la pura verdad sobre nuestra compañía mediante entrevistas con los empleados de primera línea. Queríamos saber las reglas no escritas de la organización. Se hicieron preguntas como ésta: "Si su hermano o hermana menor viniera a trabajar aquí, ¿qué le diría usted que tenía que hacer para tener éxito en su oficio?" Lo que descubrimos en esta parte de la auditoría fue un poco inquietante, realmente. Creíamos que ya teníamos una organización bastante orientada al cliente, pero en entrevistas con más de cien empleados la palabra "cliente" no se mencionó sino dos veces. Para nuestros empleados, dar satisfacción al cliente tenía muy poco que ver con tener éxito en la compañía.

En la tercera parte, contratamos a otra firma de fuera para que realizara grupos de enfoque con más de 150 empleados de toda la empresa. Éstos hacían muchas de las mismas preguntas que hizo el equipo de transformación cultural, pero viendo las cosas desde fuera, objetivamente.

Luego reunimos los resultados de estas tres fases, y pudimos descubrir las verdaderas reglas del juego que se observaban en nuestra propia organización. También pudimos discernir los supuestos subyacentes que producían esas reglas. Aprendimos, por ejemplo, que en la cultura existente, información equivalía a poder, y que si un empleado quería tener éxito, se volvía experto en monopolizar la información. Lo que él solo sabía, lo volvía importante en la organización. Esto nos indicó, desde luego, que teníamos que cambiar esa regla, puesto que una de nuestras estrategias claves era compartir la información con toda la organización.

Descubrimos, igualmente, que no es posible planificar por adelantado todo el proceso de reingeniería, porque lo que uno descubre durante el desarrollo del proyecto le modifica el plan. Todo cambio que se proyecte es un borrador viviente, no un proceso perfeccionado. La reingeniería es un proceso continuo. Los problemas que se encuentran llevan ellos mismos a mejores soluciones, razón por la cual es indispensable acometer el cambio en trozos manejables. Aprendimos también que es preciso rediseñar tanto los sistemas humanos como los técnicos, no sólo uno de ellos, y que no se puede hacer todo a la vez.

En cualquier momento tenemos varios proyectos en distintas etapas de maduración. Al crear el nuevo modelo comercial, por ejemplo, pasamos durante el verano de 1991 por lo que llamamos un ambiente de prueba controlada. Realizamos algunas campañas de marketing y algún trabajo en prototipos de servicio a clientes para aprender más acerca de cómo funcionaría nuestro modelo en la práctica.

Posteriormente, en el otoño, lanzamos un programa piloto. Retiramos de nuestro sistema regular a 40 000 clientes y los pusimos al cuidado de una pequeña unidad piloto que operaría todavía fuera de línea. Habíamos organizado un sistema a base de computadores personales para apoyar a un equipo de gestión del cliente que está sirviendo a esos 40 000 en la actualidad. El equipo se compone de diez representantes de servicio a clientes, un técnico en marketing, un experto en las operaciones de la compañía y una persona de sistemas de información. Su deber colectivo es atender a esos 40 000 clientes.

Hasta cierto punto, todavía existe división de funciones dentro del equipo porque tenemos personas que tienen más experiencia en servicio que en ventas, pero encontramos que los miembros del equipo están llegando a la conclusión de que, al fin y al cabo, marketing y servicio son una misma cosa. Los empleados de servicio se vuelven mercaderes, y los de marketing están en el teléfono atendiendo a los clientes.

Ahí está lo hermoso de esta técnica de proyectos pilotos. Nos permite poner a prueba nuestras ideas con clientes de verdad y con empleados de verdad sin jugarnos el todo por el todo a la sola carta de que todo va a salir a pedir de boca.

También tenemos un equipo piloto de gestión del mercado, que está experimentando con las nuevas maneras de comercializar que hemos ideado. Actualmente este equipo está realizando campañas, forjando alianzas estratégicas con vendedores y, lo que es más importante, poniendo a prueba la interacción entre la mitad superior y la inferior del número ocho.

Hemos operado también en otras áreas de lo que era la antigua fábrica. Hemos creado un prototipo de proceso de solicitudes rediseñado, y nos disponemos a manejarlo como proyecto piloto, usando también para éste computadores personales. Tenemos otro prototipo de vida/salud que ya casi está listo para pasar a piloto, y está en camino un prototipo de propiedad/accidente.

La auditoría cultural que llevamos a cabo hizo un notable aporte a cambios fundamentales que estamos realizando en administración de recursos humanos — por ejemplo, la reingeniería de nuestro sistema de ascensos y remuneraciones.

Nuestra nueva filosofía es que remuneramos por rendimiento y ascendemos por habilidad. En el viejo sistema, un ascenso era un premio por haber realizado bien un oficio. Eso no es razonable. A quien hace un buen trabajo hay que recompensarlo, y esto lo haremos con la paga. Pero la promoción a otro cargo debe basarse en la capacidad de la persona para desempeñar el puesto a que se le asciende y no tiene nada que ver con su rendimiento en el cargo actual. De modo que estamos rediseñando el programa de rendimiento y desarrollo.

Separamos la revisión de resultados de la revisión del desarrollo de desempeño. Hacemos la revisión de resultados y les reajustamos a los empleados su remuneración. Varios meses después, llevamos a cabo la revisión de desarrollo en el cargo. Separamos las dos revisiones para poder reconocer y recompensar los resultados o el rendimiento y remunerar adecuadamente a los empleados, pero sin perder de vista su necesidad de mayor preparación y desarrollo. La promoción no es una recompensa, y no tratándola como tal, esperamos desterrar de nuestra compañía ese falso principio.

Una medida de la voluntad del empleado de aprender y desarrollarse, lo mismo que una medida de la capacidad de desempeñar su función en un ambiente de equipo, serán factores de nuestros criterios de compensación. Estamos cambiando el actual sistema de evaluación, que se concentra en el desempeño de una sola tarea, por un sistema que evalúa lo que el empleado haga por desarrollar un conjunto más amplio de las destrezas más refinadas que exige nuestro modelo comercial. Me parece que esto es bastante radical. Vamos a pagarles a los empleados en parte por la labor que han realizado — por rendimiento, en otras palabras — y en parte por prepararse para hacer el oficio que en el futuro les vamos a pedir que hagan — es decir, por aprender.

También, en 1992, inauguramos un programa de metas compartidas que es muy novedoso. Los aumentos de sueldo por mérito siempre se han concedido sobre la base del desempeño individual. Este año recortamos a la mitad esos aumentos, haciendo depender la otra mitad del rendimiento del equipo y de la corporación a todos los niveles, no sólo para los gerentes. Se programó que para 1993, todos los aumentos normales por mérito se basarían en el desempeño del equipo y de la corporación, y tendríamos un programa aparte para reconocer a las estrellas individuales. En general, queremos que el individuo prospere cuando prosperan su equipo y la corporación.

Como estamos rediseñando nuestro programa de capacitación y desarrollo y hemos concedido nueva prioridad a un amplio y franco compartir de información, a la vuelta de dos años esperamos haber avanzado bastante hacia el establecimiento de lo que yo llamo una "cultura de pensamiento" en la compañía. Por cultura de pensamiento entiendo un ambiente de trabajo en el cual los empleados, especialmente los que están más cerca de los clientes, gozan de autonomía para tomar decisiones y tienen la preparación y la información que necesitan para tomar las decisiones que convienen.

Actualmente tenemos por todo unos diez proyectos de reingeniería en marcha, y éstos y las personas que los manejan constituyen lo que yo llamo la Compañía B. Ésta es la nueva compañía que estamos diseñando y creando. La Compañía A es la existente. Lo interesante es que los que están en la Compañía A no están esperando su turno para entrar en las nuevas modalidades. Dicen que ellos también quieren operar como el nuevo prototipo, tanto como sea posible dentro de los límites del viejo sistema de que tienen que valerse. El cambio genera cambio, y vemos que todos quieren subir a bordo porque ven lo que está sucediendo en la Compañía B como la ola del futuro.

Nada de esto — crear nuevos modelos, manejar los procesos rediseñados o capacitar a nuestra gente — ha ocurrido sin el empleo de la informática; pero en este campo, todavía nos falta camino por recorrer. En el antiguo ambiente de línea de montaje había poca necesidad de compartir información mediante sistemas en línea, razón por la cual la inversión en sistemas informáticos languidecía.

Nuestra estrategia para llenar el vacío en informática se centra en un plan trienal que vinculará el desarrollo de nuestra infraestructura tecnológica con el desarrollo de nuestros modelos comerciales. Trabajamos de común acuerdo con el personal de sistemas de información, aprovechando su pericia como parte del proceso de desarrollo, en lugar de pedirles que ellos den soluciones una vez instalado el proceso.

Conjuntamente crearemos el canal de información sobre clientes que es central en nuestro nuevo modelo comercial. Ese canal tiene que disponer de estaciones de mando electrónico fáciles de usar, que entreguen información en un formato acorde con las necesidades del usuario y que fomente la toma de decisiones acertadas. Este libre acceso a información sobre clientes, productos y marketing les permitirá a los empleados trabajar en equipos y conectarse con otras partes de la organización. Creemos que estamos a cinco años de distancia de tener el sistema que necesitamos, pero es una prioridad clave. La informática es la capacitadora para nuestro nuevo modelo porque dará acceso a la información, que es su combustible.

Se nos previno que rediseñar no era una cosa que se iba a realizar de la noche a la mañana, y nos preocupaba que si se iban a necesitar cuatro o cinco años para crear la compañía que describíamos en nuestra visión, la gente no tuviera paciencia o se desanimara. También nos preocupaba al principio que si íbamos a tardar cinco años en crear la nueva compañía, ya sería obsoleta cuando termináramos. Hoy sabemos que ninguna de esas preocupaciones tenía justificación.

Cuando la reingeniería de toda una compañía se acomete por trozos manejables, los empleados sí ven resultados, y los cambios que ven generan más cambios. Cuando obtenemos resultados a corto plazo, éstos se anuncian por toda la compañía para decir: "Esto es el cambio". Si no se anuncian ni se les da una gran publicidad, los cambios pequeños pueden pasar inadvertidos. Es como cuando uno está siempre en la casa y no se da cuenta de cómo cambian los niños; pero se ausenta aun cuando sólo sea por corto tiempo, y cuando regresa no puede creer cuánto han crecido. En la reingeniería hay que hacer los cambios en trozos y mostrarle a la gente qué cosa es el cambio, porque ése es un insumo psíquico, que es el combustible que la gente necesita para seguir haciendo cambios.

En cuanto a la segunda preocupación, o sea que estuviéramos construyendo un sistema que cuando termináramos ya iba a ser obsoleto, pronto vimos que no estábamos construyendo un mono-

> lito sino un sistema flexible, en partes modulares. Si en un año una de esas partes perdía actualidad, la podíamos descartar. Si no podíamos construir un sistema que siguiera creciendo todo el tiempo, entonces habríamos fracasado en el planteamiento de nuestra visión.

El punto que más vívidamente ilustra el caso de DRG es el poder de una visión — ayudarle al personal a *ver* lo que uno quiere realizar. DRG se valió del número ocho. Como uno aprende por narraciones y dibujos, este sencillo dibujo de lo que sería la compañía y cómo funcionaría fue un instrumento poderoso de comunicación dentro de la empresa.

DRG podría haber tratado de rediseñar sin llevar a cabo el extenso estudio cultural que emprendió, pero el esfuerzo ha pagado con creces. Lo que en ese ejercicio aprendió la compañía sobre sí misma resultó crucial para ayudarle a dar forma a su estrategia de reingeniería.

La experiencia de DRG ilustra igualmente que la reingeniería tiene que ser un proceso iterativo. Casi nunca avanza en línea recta, paso tras paso. Las compañías no se rediseñan en una forma limpia y ordenada. Empiezan con una visión global y la refinan y modifican a medida que avanzan hacia su realización.

DRG se valió muy acertadamente de pilotos y pruebas de conceptos a fin de reducir el riesgo de los cambios propuestos. Todo gerente sensato quiere tener alguna seguridad de que lo que propone funcionará, antes de comprometer en ello a toda la compañía o jugarse toda una carrera. Por otra parte, los proyectos pilotos ofrecen útiles enseñanzas. Lo que se aprende en un plan piloto bien puede hacer volver al equipo de reingeniería a proyectar mejor un asunto antes de introducir el cambio en toda la compañía.

Finalmente, la experiencia de DRG corrobora la importancia de poner atención a dos elementos que, si no se tienen en cuenta, pueden malograr la reingeniería de un proceso. El primero es la infraestructura de recursos humanos y organizacionales de la compañía. El segundo es su tecnología informática. Ambos son capacitadores esenciales del cambio. Ninguno de ellos representa la esencia de la reingeniería, pero ambos la sostienen para que pueda tener éxito.

CAPÍTULO 13

EXPERIENCIA DE UNA COMPAÑÍA: BELL ATLANTIC

Bell Atlantic Corporation, empresa de comunicaciones de 12 000 millones de dólares que tiene su sede en Filadelfia y sirve a los Estados del litoral atlántico medio de los Estados Unidos, operaba en un mundo monopolista, libre de toda competencia. Respondía, pues, a las solicitudes de los clientes según sus propios horarios y sin preocuparse mayormente por la calidad del servicio que les prestaba. Pero su mundo cambió. Actualmente Bell Atlantic también está cambiando . . . y a un paso vertiginoso.

Uno de los principales negocios de esta empresa, que representa el 20% de sus ingresos y del cual deriva casi la mitad de sus utilidades corporativas, es prestarles servicio de acceso a portadoras, o CAS. Esto quiere decir, sencillamente, el eslabón entre los clientes de Bell Atlantic — residenciales y de negocios — y las compañías portadoras de comunicaciones telefónicas de larga distancia, como AT&T, Sprint y MCI. Cada una de las siete compañías operativas regionales de Bell Atlantic tenía sus propios procedimientos para manejar una solicitud de acceso a una portadora, pero para tramitar dicha solicitud y conectar el servicio, Bell Atlantic tardaba unos quince días — y a veces hasta treinta días si se trataba de clientes que necesitaban conexión para comunicaciones de alta velocidad y de vídeo. Como proveedora monopolista, Bell Atlantic no tenía que preocuparse por el tiempo que empleaba en ello.

Pero de pronto se dio cuenta de que tenía que competir — y no podía. Los recién llegados al negocio construyeron cable de fibra óptica — tecnología que ella todavía no tenía — en áreas metropolitanas donde Bell Atlantic tenía como clientes a corporaciones muy importantes con fuerte demanda de comunicaciones de voz, de datos de alta velocidad, y de vídeo. Las nuevas compañías les prestaban a estos clientes no sólo servicio de acceso más seguro y menos costoso sino que procesaban las solicitudes en la cuarta parte del tiempo que tardaba Bell Atlantic. No pasó mucho tiempo sin que ésta empezara a perder sus clientes más grandes y lucrativos, que se pasaban a la competencia.

A fines de 1990, Regis Filtz, recién nombrado jefe de CAS en Bell Atlantic, reconoció la diferencia entre el desempeño de su compañía y el de sus nuevos competidores, y vio inmediatamente que el cambio incremental — mejorar un poquito el servicio y hacerlo un poco más rápido — no bastaría, ni con mucho, para salvar el negocio de la compañía. En la primavera de 1991, Filtz llegó a la conclusión de que sólo la reingeniería mejoraría su servicio de acceso a portadoras lo suficiente como para recuperar la clientela perdida. Éstas son sus palabras:

> Necesitábamos una mejora espectacular, y la necesitábamos ya. Apenas me encargué de CAS me entrevisté personalmente con tres de las mayores portadoras de larga distancia, con el ánimo de averiguar directamente qué querían de nosotros, tanto a corto como a largo plazo. El contacto personal fue muy importante porque me dio una información que no podría haber obtenido por medio de estudios de marketing. Por ejemplo, me enteré de que, si bien oficialmente AT&T pedía una conexión en el término de siete días, en realidad lo que quería era servicio cuando lo necesitaba, en otras palabras, apenas lo pedía. Y lo quería con cero defectos. Por su parte, MCI quería que redujéramos el tiempo del ciclo a un día.
>
> Con ayuda de asesores de fuera, hicimos lo que yo llamo un análisis de alto nivel de nuestros procesos de trabajo: recibir y

tramitar un pedido de servicio CAS, conectar el servicio, probarlo y entregárselo al cliente. Encontramos, entre otras cosas, que del principio al fin había no menos de 13 pases laterales entre los distintos grupos de trabajo y que intervenían unos 27 sistemas distintos de información. No sólo era lento el proceso sino que además resultaba sumamente costoso. Un estudio adicional nos mostró que, aun cuando el tiempo que transcurría entre el recibo de un pedido y la entrega al cliente era de 15 días, nuestro tiempo real de trabajo era sólo de unas 10 horas. Para un intervalo de 30 días sólo realizábamos 15 horas de trabajo.

Este análisis de alto nivel nos mostró oportunidades significativas no sólo de reducir espectacularmente los tiempos de tramitación sino también de rebajar costos en un orden de magnitud semejante.

No teníamos tiempo que perder, pero no podíamos contrariar a los clientes, de manera que si hacíamos un cambio teníamos que hacerlo bien. No era una cosa que pudiéramos hacer repetidas veces y corregir errores. Entonces organizamos dos equipos distintos de reingeniería; el uno para producir ideas y el otro para probarlas y refinarlas en el mundo real.

Al primero lo llamamos el equipo medular; para dirigirlo, escogimos a una gerente que reunía todas las condiciones que yo buscaba. Era respetada por sus colegas, buena comunicadora, maestra y modelo tipológico. Ciertamente, inspiraba a los demás.

Su primera tarea fue reunir a un grupo de expertos de todas las disciplinas involucradas en el fragmentado proceso CAS, asegurándose de que fueran competentes en sus respectivos ramos, también respetados por sus colegas y buenos comunicadores. El deber de los miembros del equipo medular era producir ideas, rediseñar y planificar el nuevo proceso en detalle. Les dimos una meta. Tenían que encontrar la manera de que Bell Atlantic les prestara a los clientes servicios de acceso en un ciclo de tiempo prácticamente cero.

Fijamos una meta ambiciosa por tres razones: La primera: Porque eso era lo que los clientes decían que querían a la larga; la segunda: Porque alcanzarla nos forzaría a realizar un cambio fundamental en el proceso existente, no sólo una mejora; la tercera: Porque pensamos que un ciclo de tiempo cero era un nivel de rendimiento que nuestros competidores no podrían mejorar jamás.

Francamente, los miembros del equipo al principio manifestaron sus temores, pensando que esa tarea era imposible, y fue preciso darles mucho ánimo para que aceptaran; pero al fin aceptaron. Iniciaron sus trabajos a mediados de julio de 1991, y a la vuelta de un mes habían rediseñado un nuevo proceso que reunió materialmente bajo supervisión común y en una sola localidad todas las funciones del viejo proceso, las cuales habían estado dispersas, administradas por separado y distribuidas entre diversos departamentos.

Apenas dispusimos de un diseño de proceso, pusimos a trabajar al segundo equipo, que llamamos de laboratorio. Su tarea era poner a prueba el diseño del equipo medular usándolo para tramitar pedidos reales de acceso a portadoras. Debían ensayar el proceso, modificarlo en cualquier forma que quisieran y luego informar sobre sus resultados al equipo medular. Así, pues, nuestro proceso de reingeniería era en sí mismo iterativo. En la práctica, el equipo de laboratorio sirvió de prototipo para el concepto de equipo de caso que nuestro equipo medular creó.

Los miembros del equipo de laboratorio estaban autorizados para efectuar en los métodos y los procedimientos de trabajo cuantos cambios fueran necesarios para reducir el tiempo de procesamiento, rebajar gastos y producir un resultado sin defectos. Debían descartar todas las medidas existentes, funcionales y departamentales, y todos los objetivos administrativos bajo los cuales habían venido trabajando en sus respectivos departamentos. Su única preocupación era cómo reducir el tiempo del ciclo, cómo recortar los costos y, simultáneamente, cómo mejorar la calidad del producto.

El equipo asumió la responsabilidad operativa de servir a clientes en un sector central de Pensilvania, y al cabo de algunos meses ya estaba trabajando con ciclos medidos en días en vez de semanas. En algunos casos los había reducido a horas. La calidad del servicio también mejoró espectacularmente. Antes de que el equipo de laboratorio empezara a servir a ese grupo de clientes, teníamos a cuatro personas trabajando jornada completa; su trabajo era hacer el seguimiento de las solicitudes de CAS que no se estaban tramitando satisfactoriamente. Posteriormente, prescindimos de estos empleados, y economizamos más de 1 millón de dólares anualmente en trabajos que antes había que repetir, en sólo esa región.

En la actualidad, nos ocupamos en extender el concepto de equipo de caso a todas las subsidiarias operativas de Bell Atlantic. Los equipos que instalamos usan los mismos procesos y sistemas administrativos que se emplearon en el equipo piloto de laboratorio. Hemos identificado los cambios culturales, las nuevas destrezas y los sistemas de información reformados que vamos a necesitar.

Los sistemas administrativos también se están modificando. Hemos sido y somos una compañía jerárquica que supervisa de cerca a los individuos y evalúa su desempeño a la luz de criterios internos. Estamos pasando a equipos de trabajo autogerenciados y transfuncionales que están motivados internamente para atender a lo que los clientes requieren y mejorar continuamente el tiempo del ciclo, reducir costos y mejorar la calidad.

La cultura y los valores de la corporación están cambiando. En el tiempo de la vieja jerarquía, podíamos confiar en el cumplimiento para obtener resultados. Con los procesos rediseñados tenemos que confiar en el compromiso. La diferencia es que en una modalidad de cumplimiento yo hago lo que debo porque mi jefe me dice que eso es lo que tengo que hacer. En una modalidad de compromiso comprendo lo que la corporación quiere realizar y cómo lo vamos a alcanzar, y hago todo lo que sea necesario para lograrlo, incluso cambiar la manera de hacer mi oficio, si eso es lo que se necesita.

Antes teníamos individuos que desempeñaban determinadas funciones sin conocimiento alguno del sistema total, ni de qué suerte corría su trabajo al recorrer el camino. Estamos pasando a una modalidad distinta, en la cual las tareas se combinan, y estamos creando conocimientos sistémicos, de manera que cada uno de nosotros comprenda el proceso global, cuál es la pieza que en él nos corresponde, y cómo podemos trabajar más eficientemente con los demás.

Pero a la vez que ponemos en práctica el concepto de equipo de caso, el equipo medular ya está trabajando en la segunda iteración del rediseño, en la cual cambiaremos el equipo de caso por un solo trabajador de caso y algo de nueva tecnología. En el fondo, una sola persona podrá hacer lo que hoy hace un grupo de personas de diferentes especialidades. En lugar de valernos de un equipo para transcribir los elementos de un pedido de un cliente manualmente para cada uno de nuestros diversos sistemas, disponemos de tecnología que le permite a una persona recibir la llamada del cliente y utilizar su terminal para hacer electrónicamente todas las conexiones requeridas a fin de instalar el servicio solicitado. Cuando lleguemos a esta iteración, habremos cambiado el orden en que respondemos a las solicitudes de la clientela. Habremos procedido a instalar primero el servicio y luego dedicaremos tiempo a ver cómo lo vamos a facturar y cómo vamos a registrar la documentación que necesitamos.

Pero ahí no termina la cosa. La iteración final, tal como la vemos hoy, es autoservicio, en el cual los clientes entrarán directamente en interfaz con nuestro sistema cuando quiera que necesiten servicio. Al cliente le parecerá que eso funciona lo mismo que funciona actualmente el teléfono en la comunicación corriente de voz. Para nosotros, no habrá ninguna operación manual, y el tiempo del ciclo será prácticamente cero, de acuerdo con nuestra meta.

A medida que vamos reduciendo el tiempo del ciclo hacia cero, los costos de mano de obra parece que bajan en un orden de magnitud, de 88 millones a 6 millones de dólares aproximadamente. Además, y esto es más importante, estamos conservando a los clientes actuales y atrayendo nuevos.

> Es interesante observar que ya estamos garantizando instalación en tres días para circuitos digitales de alta capacidad que antes tardaban quince días o más. La instalación en tres días es actualmente el mejor lapso que se ofrece en la industria, pero en menos de un año esperamos poder prestar el servicio en un lapso de minutos en ciertas localidades escogidas.
>
> Transcurrido un poco más de un año, la meta que parecía imposible cuando empezamos ahora está a nuestro alcance, ciertamente mucho más pronto de lo que ninguno de nosotros esperaba.

Los encargados de la reingeniería de procesos en Bell Atlantic entendieron bien lo que es rediseñar. Por una parte, tuvieron en cuenta que no es sólo crear un concepto abstracto, sino que el concepto tiene que hacerse tangible. Por otra parte, comprendieron la importancia de alcanzar resultados espectaculares rápidamente, y dieron los pasos conducentes a ese fin.

Bell Atlantic se valió de un equipo medular para crear conceptos de reingeniería, y de un equipo de laboratorio para probarlos en la práctica. El deber del primero era producir ideas que pudieran generar un cambio decisivo. El del segundo, convertirlas en realidad. Que se utilicen dos equipos distintos conectados por un circuito de retroinformación, como lo hizo Bell Atlantic, o uno solo, no tiene importancia. Lo que importa es que las compañías entiendan que la reingeniería de procesos no es un ejercicio abstracto. Las ideas tienen que probarse, y hay que incorporar en el nuevo diseño factores de orden organizacional y humano. La técnica de dos equipos de Bell Atlantic cumplió estas dos finalidades.

Otro punto que ilustra la experiencia de esta empresa es la utilidad de la reingeniería por etapas. El equipo medular tenía la visión de autoservicio con tiempo de ciclo cero — es decir, que la compañía les daría a sus clientes la capacidad de marcar instantáneamente el servicio que necesitaran, más o menos lo mismo que uno obtiene hoy con una línea de larga distancia: marca el indicativo apropiado, y ya está. Pero comprendió que no debía tratar de alcanzar esta meta de un solo salto, pues eso exigiría mucho tiempo y una inversión demasiado fuerte de capital. Pensó que era mejor hacer el cambio en tres pasos, pasando primero al equipo de caso, luego al trabajador de caso y finalmente al autoservicio. Cada paso representa una mejora muy importante sobre el anterior, y a la vez prepara el terreno para el cambio siguiente. En otras palabras, Bell Atlantic logró mejoras espectaculares rápidamente sin comprometer su meta final.

También es interesante ver cómo se lograron tan extraordinarios resultados. Para la primera etapa, o sea el paso al equipo de caso, se requirió poca o ninguna inversión de capital. La compañía utilizó instrumentos y mecanismos existentes, e incluso la mayor parte del personal era el que ya tenía a su servicio, aun cuando sí echó abajo fronteras organizacionales y organizó al personal en torno al proceso. La etapa 1 exigió menos inversión de capital y menos capacitación de empleados que la etapa 2, la cual exigió un nuevo sistema computadorizado y personas capacitadas como trabajadoras de caso.

Finalmente, la segunda etapa de Bell Atlantic ilustra una técnica interesante: cambiar el orden en que se ejecutan las tareas. Antes, la compañía no procedía a conectar el servicio de un cliente sin haber antes allegado toda la información que necesitaba o que pudiera necesitar para ejecutar todas las tareas relativas a la instalación del servicio, incluso facturación. Pero en la versión de la segunda etapa del proceso rediseñado, trabajadores de caso inician el servicio apenas tienen la información necesaria para su instalación. La facturación se deja para después porque reunir la información que ella requiere lleva más tiempo. Como lo muestra el caso de Bell Atlantic, cuando se rediseña el orden de las tareas, es posible reducir notablemente el tiempo de espera para el cliente.

Las experiencias de estas cuatro compañías en la reingeniería de sus procesos no son típicas, porque no hay dos compañías ni dos procesos de reingeniería que sean iguales. El lector puede aprender del éxito de otros, pero no lo puede copiar exactamente. No existen fórmulas de reingeniería de éxito garantizadas. Sin embargo, eso no significa que no haya guías para el éxito. Las hay, y consisten, en gran medida, en maneras de evitar el fracaso, como lo veremos en el capítulo siguiente.

CAPÍTULO 14

ÉXITO EN LA REINGENIERÍA

Lamentablemente, tenemos que informar que a pesar de los casos de éxito presentados en los capítulos anteriores, muchas compañías que inician la reingeniería no logran nada. Terminan sus esfuerzos precisamente en donde comenzaron, sin haber hecho ningún cambio significativo, sin haber alcanzado ninguna mejora importante en rendimiento y fomentando más bien el escepticismo de los empleados con otro programa ineficaz de mejoramiento del negocio. Calculamos, no científicamente, que entre el 50 y el 70 por ciento de las organizaciones que acometen un esfuerzo de reingeniería no logran los resultados espectaculares que buscaban.

A pesar de todo, aun cuando decimos que con frecuencia la reingeniería fracasa, no es una actividad de alto riesgo. Esta aparente paradoja no es tal paradoja. Considérese la diferencia del riesgo entre la ruleta y el ajedrez. La ruleta es de alto riesgo; el ajedrez no, aun cuando el jugador pueda perder tan a menudo en éste como en aquélla. La ruleta es un juego puramente de azar. Una vez que ponen su dinero, los jugadores no ejercen control alguno en los resultados; en el ajedrez, el azar no entra para nada. El mejor jugador puede esperar ganar; el resultado depende de la relativa habilidad y la estrategia de los contendores.

Lo mismo sucede en la reingeniería: la clave del éxito está en el conocimiento y en la habilidad, no en la suerte. Si uno conoce las reglas y evita los errores, tiene todas las probabilidades de triunfar. En la reingeniería se cometen una y otra vez los mismos errores, de manera que lo primero que hay que hacer es reconocer esas equivocaciones comunes y evitarlas.

El campeón ruso de ajedrez Sergei Tartakower dijo, señalando un tablero dispuesto para una partida: "Todos los errores están allí, esperando que alguien los cometa". Presentamos a continuación un catálogo de la mayor parte de los errores comunes que llevan a las empresas a fracasar en reingeniería. Evítelos usted, y estará casi seguro de acertar.

- Tratar de corregir un proceso en vez de cambiarlo

La manera más obvia de fracasar en reingeniería es no rediseñar sino efectuar cambios en los procesos y llamarlos reingeniería. Este término ha adquirido últimamente cierto aire de buen tono y se aplica a toda clase de programas que en realidad no tienen nada que ver con la necesidad radical de rediseño del negocio. Recordemos el viejo dicho de que una vaca es vaca aun cuando se le cuelgue un letrero que diga "Soy un caballo".

En el capítulo 2 describimos cómo IBM Credit Corporation rediseñó su proceso de concesión de crédito. Lo que no dijimos fue que antes había tratado varias veces de "arreglar" el viejo proceso, hasta que comprendió la necesidad de una reingeniería radical.

La compañía trató primero de automatizar el proceso existente, usando tecnología computadorizada para acelerar el flujo de información y la ejecución de tareas. La automatización consistió en dotar a los especialistas de terminales de computador en línea, en las cuales podían dar entrada a sus esfuerzos individuales. Seguían haciendo su trabajo en los computadores fuera de línea de sus respectivos departamentos, y cada solicitud se tramitaba en serie, pasando primero por el de crédito, luego por el departamento de prácticas comerciales, en seguida por el de fijación de precio, etc. Los papeles del formulario seguían pasando de departamento a departamento. En realidad, el único beneficio que esta automatización le reportó a IBM Credit fue permitirles a los especialistas que realizaban el último paso (redactar la carta de cotización) sacar del sistema en línea los resultados de los pasos anteriores del proceso. Tratando de automatizar sus operaciones, lo único que logró la compañía fue inmortalizar un proceso malo, pues una vez trasladado a programación computadorizada sería mucho más difícil modificarlo en el futuro.

Descontenta con la escasa mejora de rendimiento que le dio la automatización, la compañía probó después toda una serie de técnicas de mejoramiento comercial. Probó con la teoría de hacer cola y las técnicas de programación lineal para equilibrar el trabajo a través de los diversos departamentos y minimizar los tiempos de espera. El resultado fue insignificante. La compañía fijó normas de rendimiento para cada paso del proceso; posteriormente, al medir los resultados, encontró que los empleados estaban cumpliendo las normas casi en un ciento por ciento y, sin embargo, el tiempo de rotación se había alargado todavía más. ¿Cómo explicar tan anómalo resultado? Se encontró que cuando los empleados se veían muy acosados por falta de tiempo, encontraban fácilmente cualquier defecto en una solicitud, lo cual los autorizaba para devolverla al departamento anterior, a fin de que la corrigieran, excluyendo así dicha solicitud de las que tenían a su cargo.

La experiencia de IBM Credit no es atípica. Con frecuencia, las organizaciones hacen grandes esfuerzos y gastos para evitar los cambios radicales que implica la reingeniería. Quizá se reorganicen, lo cual significa que no cambian en absoluto los procesos de trabajo sino sólo las casillas administrativas en torno a la gente que los realiza. Otras compañías se contraen, lo cual sólo significa emplear menos gente para hacer el mismo trabajo, o menos trabajo, en la misma forma. Algunas prueban programas de motivación, con incentivos para tratar de que los empleados trabajen más.

Aunque los procesos existentes sean la causa de los problemas de una empresa, son familiares; la organización se siente cómoda con ellos. La infraestructura en que se sustentan ya está instalada. Parece mucho más fácil y "sensato" tratar de mejorarlos que descartarlos del todo y empezar otra vez. El mejoramiento incremental es el camino de menor resistencia en la mayoría de las organizaciones. También es la manera más segura de fracasar en la reingeniería de empresas.

- No concentrarse en los procesos

Hace poco, la progresista administración de una subsidiaria estadounidense de una gran compañía europea organizó varias fuerzas de tarea y las encargó de estudiar las cuestiones críticas del día: empleados facultados, trabajo en equipo, innovación, servicio al cliente, etc. Las agendas de estas fuerzas de tarea eran un léxico de lugares comunes contemporáneos. A cada grupo se le dieron noventa días para presentar recomendaciones sobre la manera como la compañía podría realizar un gran progreso en el ramo cuyo estudio se le encomendaba. A los grupos se les dio carta blanca; ninguna idea se consideraría fuera de lugar ni demasiado alocada. Las fuerzas de tarea trabajaron intensamente durante noventa días, y produjeron exactamente nada. Ah, sí, entregaron resmas de papel lleno de recomendaciones anodinas, pero todo el que las leyera entendía inmediatamente que no significaban nada y que de ellas no saldría nada.

¿Por qué este esfuerzo, con tanto apoyo ejecutivo y tan amplia participación, terminó en semejante fracaso? Porque los problemas no se definieron adecuadamente. "Trabajo en equipo" y "facultar" son abstracciones y generalidades muy vagas. Describen características o atributos que uno quisiera ver en su organización, pero no hay ninguna manera directa de alcanzarlos. Son *consecuencias* de diseños de procesos y sólo se pueden realizar en ese contexto. ¿Cómo se puede empezar a trabajar en facultar al personal si no es mediante la arquitectura de los procesos de trabajo? "Innovación" también es el resultado de procesos bien diseñados, no una cosa en sí misma. La falla de esta compañía en sus esfuerzos, y de otros intentos por el estilo en otras partes, estuvo en no haber adoptado una perspectiva de procesos en el negocio. Sin esto, los esfuerzos de mejorar un negocio equivalen a reacomodar las sillas de cubierta en el *Titanic* cuando se está hundiendo.

- No olvidarse de todo lo que no sea reingeniería de procesos

Un esfuerzo de reingeniería, como lo hemos visto, genera cambios de muchas clases. Hay que rediseñar las definiciones de oficios, las estructuras organizacionales, los sistemas administrativos — todo lo que se relaciona con procesos — para conservar un diamante coherente del sistema de negocios.

Como lo vimos en el capítulo 2, cuando Ford rediseñó su proceso de pago a proveedores, los efectos alcanzaron incluso a los empleados del muelle de recepción, quienes de súbito se transformaron en tomadores de decisiones. En vez de sólo estampar papel con horas y fechas se vieron en el caso de usar una terminal de computador para determinar si la mercancía que llegaba correspondía a un pedido pendiente. Si no, tenían la responsabilidad de rechazarla y devolverla. Personas que antes no tenían casi ninguna responsabilidad, ahora tenían que pensar y tomar decisiones.

En IBM Credit, individuos que antes sólo sabían verificar el crédito ahora están evaluando y poniéndole precio a toda una negociación financiera. Para hacer esto no sólo tuvieron que aprender un oficio nuevo sino además adoptar nuevas actitudes frente a su trabajo.

El Grupo de Respuesta Directa (DRG) de Capital Holding repensó todo su enfoque al cliente y rediseñó muchos procesos. En consecuencia, le fue preciso rediseñar también sus métodos de calificar oficios, políticas de remuneraciones, carreras profesionales en la compañía, programas de contratación y capacitación de personal, políticas de promoción — en otras palabras, casi todos los sistemas administrativos — a fin de sustentar los nuevos diseños de proceso.

Hasta los gerentes que ansían una radical reingeniería de procesos se asustan ante la magnitud de los cambios que para ello se requieren. Con frecuencia hemos encontrado esta situación: Un alto administrador le encarga a un equipo de reingeniería que produzca mejoras definitivas para un proceso que está causando problemas. Algún tiempo después, el equipo le presenta un concepto realmente trascendental que eliminará el 90% del tiempo del ciclo, el 95% de los costos y el 99% de los errores. El ejecutivo se estremece de felicidad. El equipo procede entonces a explicarle que para el proceso de reingeniería se requiere un nuevo sistema de calificación de oficios, consolidación de muchos departamentos, redefinición de la autoridad administrativa y un estilo distinto de relaciones laborales. El alto ejecutivo se estremece otra vez, pero no de felicidad. "Les pedí a ustedes que reduzcan los costos y los errores", les dice, "no que rehagan la compañía". Entonces el equipo generalmente se disuelve, y de su gran concepto de transformación no se vuelve a hablar. Pero precisamente lo que significa rediseñar es rehacer la compañía.

- No hacer caso de los valores y las creencias de los empleados

La gente necesita alguna razón para dar buen rendimiento dentro de los procesos rediseñados. No es suficiente instalar nuevos procesos; la administración tiene que motivar a los empleados para que se pongan a la altura de las circunstancias apoyando los nuevos valores y creencias que los procesos exigen. En otras palabras, los administradores tiene que poner atención a lo que está pasando en la mente del personal lo mismo que atienden a lo que ocurre en sus escritorios.

Cuando Ford rediseñó la manera de pagarles a sus proveedores, las actitudes y el comportamiento de sus empleados también tuvieron que cambiar. El personal de compras no podía seguir viendo a los proveedores como adversarios a quienes había que derrotar; tenía que verlos como socios de Ford en un común proceso comercial.

Cuando el DRG rediseñó su proceso de revisar solicitudes de seguro, también se vio en el caso de hacer cambios radicales en su cultura. Los supervisores no podían seguir siendo capataces sino que tenían que actuar como proveedores de servicio a los empleados que ejecutaban el trabajo — asegurándose de que los trabajadores de caso dispusieran de todos los elementos y del apoyo necesarios para desempeñar sus tareas.

Los cambios que requieren modificaciones de actitudes no son aceptados con facilidad. Hacer discursos no basta. Los nuevos sistemas administrativos tienen que cultivar los valores requeridos recompensando la conducta que los demuestra. Pero los altos administradores también tienen que dar charlas acerca de estos nuevos valores, y al mismo tiempo demostrar su dedicación a ellos mediante su comportamiento personal.

• Conformarse con resultados de poca importancia

Para lograr grandes resultados se requieren grandes aspiraciones. Una prueba crítica de éstas se presenta en el punto en que, durante el curso de la reingeniería, alguno sugiere que un cambio modesto hará funcionar el proceso el 10 por ciento mejor y prácticamente sin costo adicional, en contraposición a las penosas alteraciones y sufrimientos que crea la reingeniería. Es grande la tentación de seguir el sendero más fácil y contentarse con la mejora marginal. Pero a la larga ésta no es tal mejora sino más bien un perjuicio.

Las mejoras marginales, por regla general, complican más el proceso corriente, y posteriormente dificultan más entender cómo funcionan las cosas en realidad. Todavía peor es que, haciendo inversiones adicionales de tiempo o capital en un proceso actual, se aumenta la renuencia de la administración a descartar totalmente dicho proceso. Lo más nocivo es que las medidas marginales refuerzan una cultura de incrementalismo y hacen de la compañía una entidad poco valerosa.

• Abandonar el esfuerzo antes de tiempo

No puede sorprendernos que algunas compañías abandonen la reingeniería o reduzcan sus metas originales al primer síntoma de un problema. Se acobardan. Pero también hemos visto compañías que suspenden su esfuerzo de reingeniería a la primera señal de éxito. Apenas tienen algo que mostrar por su trabajo y sufrimiento, paran. El éxito inicial se convierte en una excusa para volver a la vida fácil del negocio de costumbre. En ambos casos, la falta de perseverancia priva a la compañía de los grandes beneficios que podría cosechar más adelante.

• Limitar de antemano la definición del problema y el alcance del esfuerzo de reingeniería

Un esfuerzo de reingeniería está condenado de antemano al fracaso cuando, antes de empezar, la administración corporativa define de una manera estrecha el problema por resolver o limita su alcance. Definir el problema y fijar su alcance son pasos del esfuerzo mismo de reingeniería. Éste empieza con el planteamiento de los objetivos que se persiguen, no con la manera como dichos objetivos se van a alcanzar.

Ilustra este punto la experiencia de un fabricante de equipo industrial. Los altos administradores les dijeron a sus consultores que el proceso de despachar pedidos de la compañía era demasiado costoso, y les asignaron la tarea de reducir los costos operativos de tal proceso.

Investigando el problema, los consultores hablaron con los clientes de la compañía, y se enteraron de que todos aborrecían casi todo lo que ésta hacía, excepción hecha del equipo que fabricaba. Dijeron que si pudieran comprarle esos mismos productos a otra empresa, no vacilarían en cambiar de proveedor.

Los altos ejecutivos, aislados de todo contacto con su mercado, creían que el problema estaba en los costos internos del despacho de pedidos, cuando en realidad estaba en todo el proceso de servicio a los clientes: despacho, apoyo y comunicaciones. Todo lo tocante a contacto con los clientes andaba manga por hombro. Si los consultores hubieran aceptado el encargo tomándolo al pie de la letra y se hubieran limitado a examinar los costos del proceso, como podría haberlo hecho un equipo de reingeniería constreñido por las circunstancias, no habrían descubierto la verdadera naturaleza de las dificultades de la compañía.

No es raro que los administradores de alto nivel en las compañías grandes estén tan desvinculados de la realidad de la clientela o de la producción que no sepan cuán deficientes son algunos de sus procesos comerciales. Aislada del nivel de proceso, la alta administración no está capacitada para definir el problema que hay que resolver ni para delimitar su alcance.

También es común que una compañía afirme que su meta es un proceso comercial pero luego proceda a restringir la reingeniería a un segmento arbitrario y pequeño del proceso, que encaje cómodamente dentro de las fronteras organizacionales existentes. Este modo de proceder conduce indefectiblemente al fracaso. La reingeniería tiene que romper fronteras, no reforzarlas. Tiene que sentirse destructiva, no cómoda.

Insistir en que la reingeniería es fácil es insistir en que no es reingeniería.

- Dejar que las culturas y las actitudes corporativas existentes impidan que empiece la reingeniería

Las características culturales dominantes en una compañía pueden inhibir o frustrar un esfuerzo de reingeniería antes de que comience. Por ejemplo, si la empresa opera por consenso, su personal encontrará que, por su naturaleza de arriba abajo, la reingeniería ofende sus sensibilidades. Las compañías cuya orientación a corto plazo las mantiene enfocadas exclusivamente en los resultados trimestrales encontrarán difícil extender su visión a los más amplios horizontes de la reingeniería. Las organizaciones que son enemigas de todo conflicto pueden sentirse incómodas poniendo en tela de juicio reglas establecidas de largo tiempo atrás. Los ejecutivos tienen la obligación de superar esas barreras.

- Tratar de que la reingeniería se haga de abajo para arriba

Es axiomático que la reingeniería jamás puede empezar desde abajo. Hay dos razones para que los empleados de primera línea y los mandos medios no estén en capacidad de iniciar y ejecutar un esfuerzo de reingeniería que tenga éxito, por grande que sea la necesidad o prodigioso su talento.

La primera razón es que los que están cerca de las líneas del frente carecen de la amplia perspectiva que exige la reingeniería. Su experiencia se limita a las funciones individuales de los departamentos en que viven. Quizá vean muy claramente, y probablemente mejor que los demás, los problemas de su departamento, pero es difícil que vean un proceso globalmente y reconozcan su deficiente diseño general como el origen de sus problemas. Los gerentes de primera línea acogen el incrementalismo más fácilmente que la reingeniería porque pueden actuar incrementalmente sin exceder el ámbito de su visión.

La segunda razón es que todo proceso comercial necesariamente cruza fronteras organizacionales, de suerte que ningún gerente de nivel medio tiene suficiente autoridad para insistir en que tal proceso se transforme. El alcance de éste trasciende el campo de su responsabilidad. Además, algunos de los mandos medios que son afectados temen, con razón, que los cambios radicales de los procesos existentes les mermen su poder, su influencia y su autoridad. Estos gerentes han invertido mucho en las actuales maneras de hacer las cosas, y el futuro de la compañía puede estar comprometido implícitamente (y a veces explícitamente) por los intereses de la carrera de ellos. Temen el cambio porque las reglas no son claras. Si un cambio radical surge desde abajo, puede que le opongan resistencia y lo ahoguen. Sólo un liderazgo vigoroso y que venga de arriba inducirá a estas personas a aceptar las transformaciones que la reingeniería produce.

- Confiarle el liderazgo a una persona que no entiende la reingeniería

El liderazgo de la alta administración es un indispensable requisito previo del éxito, pero no cualquier alto administrador sirve para el caso. El líder tiene que ser una persona que entienda la reingeniería y esté plenamente comprometida con ella. Debe, además, orientarse a las operaciones y apreciar la relación que hay entre el desempeño operativo y los resultados finales. Sólo un alto ejecutivo orientado a procesos y capaz de pensar en toda la cadena de valor agregado — desde concepto de producto hasta ventas y servicio — puede encabezar un esfuerzo de reingeniería. La antigüedad y la autoridad no son suficientes; igualmente críticas son la comprensión y una actitud mental adecuada.

- Escatimar los recursos destinados a la reingeniería

Las leyes de termodinámica enseñan que no es posible obtener algo a cambio de nada. En nuestro contexto, esto significa que una compañía no puede alcanzar las enormes ventajas de rendimiento que promete la reingeniería sin invertir en su programa, y los componentes más importantes de la inversión son el tiempo y la atención de los mejores de la empresa. La reingeniería no se les puede confiar a los semicompetentes, los gorristas que no tienen nada mejor que hacer.

La reingeniería exige, igualmente, la intervención directa y personal de la alta administración. Así como no puede surgir del fondo de la organización, tampoco se puede delegar en los de abajo. Los altos funcionarios tienen que hacer la reingeniería ellos mismos. Pueden diputar a ayudantes y colaboradores, pero no pueden abdicar en ellos la responsabilidad del esfuerzo. Rediseñar tiene que ser un proyecto personal del líder, con todo lo que eso implica. Las revisiones trimestrales del progreso no bastan. El equipo de alta administración tiene que invertir un esfuerzo continuo para guiar y controlar las actividades de todos los proyectos que estén en marcha en la compañía.

Asignar recursos insuficientes también les indica a los empleados que la administración no le concede mucha importancia al esfuerzo de reingeniería, y los incita a no hacer caso de ella o a oponerle resistencia, esperando que no ha de pasar mucho tiempo sin que pierda impulso y desaparezca.

- Enterrar la reingeniería en medio de la agenda corporativa

Nosotros les aconsejamos a las compañías que si no ponen la reingeniería a la cabeza de su agenda, es preferible que prescindan del todo de ella. Si la atención y la energía de la administración se dispersan en muchos esfuerzos o programas distintos, de los cuales la reingeniería es apenas uno, ésta no recibirá la intensa atención que requiere. Faltando el interés constante de la administración, la resistencia y la inercia — la tendencia natural de la gente y de las organizaciones a seguir haciendo lo mismo que siempre han hecho — harán que el proyecto se pare. El personal sólo se reconcilia con la inevitabilidad de la reingeniería cuando reconoce que la administración está comprometida a fondo, que se concentra en ella y le presta atención regular y constante.

- Disipar la energía en un gran número de proyectos

La reingeniería exige un enfoque preciso y enorme disciplina, lo que equivale a decir que las compañías tienen que concentrar sus esfuerzos en un número pequeño de procesos a la vez. Una organización se confunde en lugar de cargarse de energía si se le pide que atienda a muchas cosas a un mismo tiempo. Puede que los procesos de servicio a los clientes, de investigación y desarrollo y de ventas necesiten una reingeniería radical, pero nada se logrará si la compañía trata de atender a todos los procesos simultáneamente, a menos que tenga una excepcional capacidad administrativa. El tiempo y la atención de la administración son limitados, y la reingeniería no recibirá el apoyo crucial que es necesario si los administradores tienen que estar pasando constantemente de una cosa a otra.

- Tratar de rediseñar cuando al director ejecutivo le faltan sólo dos años para jubilarse

El director ejecutivo o el jefe de unidad que están a un año o dos de su jubilación pueden ver con escepticismo o poco entusiasmo la reingeniería. No se debe ello a que se hayan vuelto perezosos o no les importe ya el futuro de la organización. Lo que pasa es que hacer cambios radicales en los procesos de una compañía traerá inevitablemente consecuencias serias para la estructura de ésta y para sus sistemas administrativos, y una persona que está a punto de retirarse del negocio sencillamente no querrá intervenir en tan complejas cuestiones o adquirir compromisos que limiten la libertad de acción de su sucesor.

Otro problema que se presenta cuando el director ejecutivo está cerca de la edad de jubilación es el efecto que el cambio previsto en la cima producirá en los demás gerentes. En las organizaciones jerárquicas sobre todo, los aspirantes al alto cargo que va a quedar vacante quizá se sientan vigilados y juzgados, y en tal caso se interesarán más en el desempeño individual que en ser parte de un gran esfuerzo colectivo de reingeniería. Además, no tendrán ningún interés en un programa que cambie las reglas familiares por las cuales ganaron la posición que tienen, y querrán evitar todo posible riesgo hasta que la cuestión de la sucesión se haya resuelto.

Cuidémonos de un director ejecutivo cuya jubilación está cerca y dice que está ya dispuesto a aceptar los riesgos de la reingeniería. "Al fin y al cabo, tengo poco que perder a estas horas de la vida", alegará él. Es cierto, pero si ha esperado hasta ahora para mostrarse como un gerente ejecutivo audaz, no es fácil que en corto tiempo pueda aprender a comportarse como lo exige la regla.

• No distinguir la reingeniería de otros programas de mejora

No se puede decir, infortunadamente, que muchas compañías sufran de escasez de programas para mejorar los negocios. Cuando los tiempos se hacen más difíciles, proliferan las supuestas panaceas. Las revistas de negocios rebosan de ideas y programas para mejorar las compañías: mejora de calidad, alineación estratégica, "adecuación de tamaño", asociaciones cliente-proveedor, innovación y autorización, por nombrar unos pocos. Por lo general, estos programas son efímeros, como nos decía un gracioso en una corporación: "Todos los meses nuestros altos administradores asisten a algún seminario y regresan con una nueva religión. Nosotros contenemos el resuello . . . hasta que les pasa". Un peligro de la reingeniería es que los empleados lo vean como sólo otro Programa del Mes. Este peligro, ciertamente, se convertirá en realidad si la reingeniería se le confía a un grupo impotente. Para evitar esta posibilidad, la administración tiene que confiarles la responsabilidad de la reingeniería a gerentes de línea, no a especialistas del personal ejecutivo. Por otra parte, si la compañía ha emprendido seriamente otro programa de mejoramiento del negocio (como, por ejemplo, gestión de calidad total), entonces hay que tener mucho cuidado al posicionar la reingeniería relacionada con ese otro programa. De lo contrario habrá confusión, y se desperdiciará una energía enorme en una inútil guerra intestina por ver cuál de los dos es superior.

• Concentrarse exclusivamente en diseño

La reingeniería no es sólo rediseñar. También hay que convertir los nuevos diseños en realidad. La diferencia entre los ganadores y los perdedores no suele estar en la calidad de sus respectivas ideas sino en lo que hacen con ellas. Para los perdedores, la reingeniería nunca pasa de la fase ideológica a la ejecución.

• Tratar de hacer la reingeniería sin volver a alguien desdichado

El aforismo de que para hacer una tortilla hay que romper los huevos viene muy al caso. Sería muy grato poder decir que la reingeniería es un programa en que sólo se gana y todos quedan contentos; sería muy grato, pero sería una mentira. La reingeniería no les reporta ventajas a todos. Algunos empleados tienen intereses creados en las operaciones actuales, otros perderán su empleo y algunos trabajadores no quedarán contentos con sus nuevos oficios. Tratar de complacerlos a todos es una empresa imposible que degradará la reingeniería a la categoría de un simple programa de cambio incremental, o aplazará su ejecución para el futuro.

- Dar marcha atrás cuando se encuentra resistencia

Nadie debe sorprenderse — y mucho menos los que están encargados del esfuerzo de reingeniería de una compañía — de que los empleados opongan resistencia. Ésta es una reacción inevitable cuando se emprende un cambio de grandes proporciones. El primer paso para hacerle frente es esperarla y no dejar que entorpezca el esfuerzo.

Hemos oído a algunos gerentes decir que la reingeniería fracasó en su empresa porque los trabajadores se resistieron al cambio. Esto es como decir que la segunda ley de Newton — la que dice que un cuerpo tiende a permanecer en movimiento — es causa de los accidentes automovilísticos. No es la ley de Newton la que produce los choques sino el descuido de los automovilistas que no la tienen en cuenta; y la verdadera razón de que la reingeniería no tenga éxito es la falta de previsión de la administración que no planifica de antemano para hacer frente a la inevitable resistencia que la reingeniería encontrará.

- Prolongar demasiado el esfuerzo

La reingeniería produce tensiones en toda la compañía, y prolongarla durante mucho tiempo aumenta la incomodidad para todos. Nuestra experiencia indica que doce meses deben ser suficientes para que una compañía pase de la definición de un argumento pro acción a la primera entrega de un proceso rediseñado. Si se tarda más, la gente se impacienta, se confunde y se distrae. Llegará a la conclusión de que se trata de otro programa fraudulento y el esfuerzo fracasará.

Sin duda, hay más motivos de fracaso de los que acabamos de enumerar porque la gente tiene una gran habilidad para encontrar nuevas maneras de abandonar un proyecto. Con todo, en los motivos que hemos encontrado se observa un factor común, y es el papel que desempeña la alta administración. Si la reingeniería fracasa, sea cualquiera la causa inmediata, la razón subyacente se puede encontrar invariablemente en que los altos administradores no entienden bien la reingeniería o adolecen de falta de liderazgo. La reingeniería nace siempre en las oficinas ejecutivas. Con mucha frecuencia también muere allí.

Pese a las posibilidades de fracaso, nos confortan los muchos casos de éxito que hemos visto. Las organizaciones que emprenden la reingeniería con comprensión, con compromiso y con un vigoroso liderazgo ejecutivo seguramente triunfarán. Los beneficios del éxito son espectaculares — para la empresa individualmente, para sus gerentes y empleados, y para la economía nacional en conjunto. Ya pasó el tiempo de vacilar; ya llegó la hora de la acción.

EPÍLOGO

A pesar de las dificultades en que se hallan actualmente, y a las cuales se ha dado tanta publicidad, los negocios no son una especie amenazada de extinción. Los que hemos mencionado en las páginas de este libro son prueba de que las compañías pueden cambiar para competir en la evolutiva economía global. Han aprendido que una reputación envidiable, controles financieros y un balance general sin deudas ya no garantizan su supervivencia. Para sobrevivir en el mundo moderno se requiere un vigoroso liderazgo, una intensa concentración en los clientes y en sus necesidades, y superiores diseño y ejecución de procesos. La reingeniería es uno de los instrumentos que las compañías deben poseer y saber utilizar para adquirir aquellos requisitos previos del éxito.

En el decenio pasado, les recetaron a los negocios muchas curas milagrosas, la mayor parte de las cuales se las han administrado a los pacientes sin resultados visibles.

La reingeniería, por el contrario, no promete curas milagrosas. No ofrece ningún arreglo rápido, sencillo e indoloro; antes bien, implica trabajo difícil, penoso. Exige que los que manejan las compañías y los que trabajan en ellas modifiquen su modo de pensar, no menos que lo que hacen. Se requiere que las compañías cambien sus viejas prácticas por otras enteramente nuevas. Hacer esto no es fácil. No se puede lograr mediante discursos motivadores y carteles llamativos.

A pesar de que hemos tratado la reingeniería con cierta extensión, apenas hemos tocado la superficie del tema, como lo descubrirán los lectores que acometan la reingeniería en sus propias compañías. Por ejemplo, es poco lo que hemos escrito sobre la manera como las organizaciones pueden llevarla a la práctica. Una metodología para ejecutar un esfuerzo de reingeniería, la orquestación de la campaña pro cambio, el diseño y la elección del tiempo oportuno para las entregas de los procesos recién diseñados, las tácticas para hacer frente a los problemas más comunes que se presentan durante la ejecución son cuestiones que están fuera del alcance de un solo libro.

Además, otras cuestiones importantes sobre reingeniería carecen hasta ahora de respuestas concluyentes. Por ejemplo: ¿Qué impacto producirá la reingeniería de las grandes compañías sobre la economía nacional? ¿Y en qué forma afectará el aplanamiento de las jerarquías corporativas a los gerentes y a los ejecutivos que están acostumbrados a justipreciar su propio mérito por la posición que ocupan en la organización?

Pero las incertidumbres que rodean la reingeniería no se pueden tomar como pretexto para aplazar lo que hay que hacer. Las principales corporaciones, en casi todas las industrias, ya han empezado a rediseñar sus procesos, y a medida que muchas otras llevan también los suyos a un nivel más alto de rendimiento, la opción de reingeniería se convierte en una necesidad competitiva para todos en la industria. La reingeniería, aun cuando sea por un solo participante clave en el mercado, crea un nuevo nivel de comparación, al cual tienen que llegar todos los competidores.

La reingeniería es todavía una actividad nueva, y todos los que nos dedicamos a ella somos pioneros. El mundo de la revolución industrial está cediendo el campo a una economía global, a poderosas tecnologías informáticas y a un cambio inexorable. Se levanta el telón de la Edad de la Reingeniería. Los que respondan a su llamada escribirán las nuevas reglas de los negocios. Todo lo que se necesita es voluntad de triunfar y valor para empezar.

ÍNDICE